한 번에 끝내는

중학 한국사 워크북

2

조선 시대부터 현대까지

이정화 · 안혜진 · 한윤옥 지음

성림원북스

똑똑독 연구소(ddokddokdok.com)

똑똑독연구소는 열정 넘치는 독서지도사 선생님들이 새롭고 다양한 교재를 개발하고자 모인 단체이다. '똑똑한 독서나라, 똑똑독'은 학생들이 책을 단순히 읽는 데 그치지 않고, 주제를 깊이 이해하고 비판적으로 수용한 뒤 자신의 삶에 적용할 방법을 찾게 하는 교재를 공급하자는 목표로 만든 인터넷 사이트이다.

한 번에 끝내는

중학 한국사 워크북

❷ 조선 시대부터 현대까지

초판 1쇄 인쇄 2022년 6월 27일
초판 2쇄 발행 2024년 1월 22일

지은이 이정화 · 안혜진 · 한윤옥
펴낸이 이성림
펴낸곳 성림북스

책임편집 노은정
디자인 쏘울기획

출판등록 2014년 9월 3일 제25100-2014-000054호
주소 서울시 은평구 연서로3길 12-8, 502
대표전화 02-356-5762 **팩스** 02-356-5769
이메일 sunglimonebooks@naver.com

ISBN 979-11-88762-62-0 44910
ISBN 979-11-88762-60-6 44910(세트)

* 책값은 뒤표지에 있습니다.

머리말 - 활동 안내

한국사 일만 봉우리, 《한 번에 끝내는 중학 한국사 워크북》과 함께 올라 봐요!

이 글을 읽는 중학생이라면 아마도 많든 적든 역사 공부 경험이 있을 거라 생각해요. '역사' 하면 어떤 생각이 드나요? '이야기로 들으면 재미있는데 역사 공부는 왜 재미도 없고 어렵지?', '초등학교 때도 배웠는데 왜 기억나는 게 하나도 없지?' 이런 학생들도 있을 테고, '난 역사가 너무 좋아. 역사 선생님 될 거야.' 드물지만 이런 학생도 분명 있을 거라고 믿어요.

작년 가을, 《한 번에 끝내는 중학 세계사 워크북》을 펴내며 머리말에서 그런 이야기를 했어요. '중학교 세계사 교과서의 설명서가 중학 세계사이고, 중학 세계사라는 설명서를 좀 더 잘 이해하고 실제 내 것으로 만들기 위해 도와주는 동영상이 중학 세계사 워크북'이라고 말이죠. 그 말을 한 번 더 해야 할 것 같아요.

아주 잘 만든 요약본 한국사인 역사 교과서를 친절하게 설명해 주는 책이 《한 번에 끝내는 중학 한국사》라면, **《한 번에 끝내는 중학 한국사 워크북》**은 '한국사'라는 가파르고 봉우리 많은 산을 종주할 수 있게 도와주는 코치라고요. 어떤 봉우리부터 올라야 효율적인 산행이 될지, 어떤 속도로 걷고, 어디에서 쉬어야 할지 알려주어 무사히 정상에 서서 시원한 산바람을 만끽할 수 있게 도와주는 코치님이요.

여러분보다 먼저, 더 많이 경험하며 익숙해진 산길을 안내하는 가이드이자, 여러분을 응원하며 바라봐 주는 코치가 되고 싶은 마음을 담아 워크북을 만들었어요.

이미 세계사 워크북을 경험한 학생은 재회의 기쁨으로, 한국사로 처음 워크북을 만나는 학생은 긴장과 설렘으로, 길지만 짧을 한국사 등반을 함께해요.

활동을 하나하나 살펴보기 전에 이 워크북이 어떻게 구성되어 있는지 전체를 훑어 보도록 할게요.

이렇게 구성되어 있어요

1단계 : 〈책을 읽기 전에〉, 〈책을 읽으며〉는 본문을 읽기 전에 어떤 내용을 배울지, 알아둬야 하는 용어들이 무엇인지 등을 안내하며 본격적인 읽기를 준비하는 단계예요. 준비단계의 중요성, 더 언급하지 않아도 잘 알죠?

2단계 : 〈한눈에 보기〉는 각 장을 읽으며 알아본 내용을 한눈에 알아보기 쉽도록 표와 도식 등을 활용하여 구조화해 보는 단계예요. 핵심적인 내용을 쉽게 기억할 수 있도록 말이죠.

3단계 : 〈역사 논술〉은 책에서 설명하고 있는 주요 사건들에 대한 맥락과 의의를 잘 파악하고 있는지를 서술형으로 정리하는 단계예요. 역사적 사건에 대한 자신의 의견을 조리 있게 밝히는 내용도 포함되어 있어요.

4단계 : 〈실력 키우기〉는 활동의 마지막 단계로, 각 장에서 학습한 내용을 활용해 자기 실력을 종합적으로 파악해 보는 활동이에요.

1단계 ① - 책을 읽기 전에

책을 읽기 전에

1장 본문을 통해 알아 두어야 할 내용이 무엇인지 생각하며 다음 내용을 읽어 보자.

- 만주와 한반도의 선사 시대 문화에 대해 이야기해 보세요.
- 청동기 시대에 나타난 변화에 대해 설명해 보세요.
- 단군 신화에 숨겨진 역사적 사실은 무엇일까요?
- 8조 법과 자료를 통해 고조선 사회의 모습과 특징을 설명해 보세요.

가장 먼저 할 일은 본 책을 읽기 전에 워크북을 먼저 펼쳐 보는 거예요. 바로 위에 있는 예시처럼 매 장마다 〈책을 읽기 전에〉라는 제목으로 해당 장을 더 잘 읽기 위해 마음을 열고 생각을 깨우는 활동이 제시되어 있어요. 각 장마다 제시된 활동을 수행하며 '이 장에서는 이런 내용들을 살펴보고 기억하면 좋겠구나.' 하며 전체 내용을 그려보는 거예요. 본문 읽기를 위해 예열하며 준비하는 시간이니 너무 긴 시간을 할애하거나 에너지를 많이 쓰지 않아도 됩니다.

1단계 ② - 책을 읽으며

책을 읽으며

1. 만주와 한반도의 선사 문화와 고조선 역사를 읽으며 중요하다고 생각하는 내용에 밑줄 쳐 보자.

읽기 전 활동을 끝내면, 이제 본격적으로 책을 읽습니다. 〈책을 읽으며〉는 밑줄 치기 활동으로 책 본문을 읽는 과정에서 수행하는 활동입니다.

밑줄을 치며 읽으면 시간은 더 소요되겠지만, 한국사를 공부하자고 마음먹었다면 '빨리 읽어 버리기'는 곤란해요. 그러면 읽고 난 후에 머릿속에 저장된 내용은 거의 없을 테니까요. 저장된 것 같아도 책을 덮는 순간 스르르 연기처럼 사라져 버릴 거예요. 그러므로 속도보다 해당 내용을 이해하고 기억하려는 마음을 부여잡고 읽어 보세요. 중요한 내용을 잘 모르겠다 싶으면 한 문단을 차근차근 읽고 나서 중요한 내용을 생각해 본 다음 그 부분에 밑줄을 치는 것도 좋습니다. 다음 활동이 빈칸 채우기이니 빈칸이 될 것 같은 부분을 찾아 밑줄 치는 것도 방법이지요.

2. 부분별로 읽은 내용을 생각하며 빈칸을 채워 보자.

(目) 매머드 화석이 한반도에서 발견된 까닭은?: 만주와 한반도의 구석기 시대

1) 충청북도 단양군에 있는 (   ) 유적은 우리나라에서 가장 오래된 구석기 시대 유적인데, (   )년 전의 것으로 나타났다.

2) 만주와 한반도의 구석기인들도 지구촌 다른 곳과 마찬가지로 동굴이나 강가에 (   )을 지어 살았고, 사냥과 채집을 하며 (   )생활을 했다.

책을 읽으며 해야 할 활동 두 번째는 소제목에 따른 부분별로 워크북 빈칸 채우기입니다. 정확히 말하면 읽은 후 활동이지요. 각 장별로 단숨에 읽고 빈칸을 채워도 되지만, 한 번에 하는 공부 분량을 줄일수록 기억하기 쉬울 테니 소제목에 딸린 내용별로 읽고 수행하기를 추천합니다.

빈칸을 채우다 보면 생각보다 어렵다고 느낄 수 있습니다. 그럴 때는 잠시 멈춰 자신의 책 읽기 과정을 돌아보세요. 꼼꼼히 읽지 않아서 그럴 수도 있고, 내가 생각하는 중요한 내용과 워크북의 빈칸이 다를 수도 있어요. 무엇보다 한국사에서 다루는 용어나 사건 이름 등이 낯설어 책을 보지 않고는 떠올리기 어려울 수도 있어요. 그렇게 내가 힘들어하는 이유가 무엇인지 스스로 찾아낸 후 하나하나 해결해 간다면 한국사 공부를 통해 공부법 훈련까지 일거양득도 가능합니다.

만약 빈칸 채우기가 너무 어려워 책을 덮고 싶어지면 일단 밑줄 치며 읽은 다음 정답의 도움을 받아 빈칸을 채우고 다시 읽으며 내용을 되새겨 보는 것도 괜찮습니다. 밑줄 긋기부터 힘들다면 정답을 보고 빈칸을 채운 다음, 그 내용에 해당하는 본문에 밑줄을 그어보는, 거꾸로 활동으로 시작하는 것도 좋아요. 물론 정답의 도움을 받은 후에 다시 한번 읽어 보기를 잊지 말아야 스스로 해결할 수 있는 시간도 빨리 옵니다.

어느 것이든 자신에게 맞는 방법을 활용해 각 장 내용을 다 읽고 나면 읽기 과정의 마무리 활동이 기다립니다.

3. 1장에서 다루는 선사 문화와 고조선에 대한 역사 중 시기별 특징을 생각나는 대로 써 보자.

구석기 시대:

신석기 시대:

청동기 시대:

1장의 독후 활동은 1장에서 다루는 선사 시대를 각 시기별로 특징을 정리하는 것입니다. 이와 같은 독후 활동을 통해 전체 장을 자신의 말로 정리하거나 기억하면 좋겠습니다. 이렇게 하면 가장 지루하고 에너지를 많이 써야 하는 1단계 활동이 끝이 납니다. 한국사 해당 내용과 그만큼 친해진 것은 말할 것도 없지요.

2단계 - 한눈에 보기

한눈에 보기

1장 내용을 한눈에 정리해 보자.

한반도의 선사 시대

1. 빈칸을 채우며 한반도 선사 시대의 의식주와 도구 변화를 정리해 보자.

	구석기 시대	신석기 시대	청동기 시대
시작 시기	㉠( )년 전	㉡( )년 전	㉢기원전 ( )년경~ 기원전 1500년
의식주		• ㉣( ), 뼈바늘 활용하여 옷 만듦. • 장신구: 조개껍데기나 동물 뼈로 만들어 치장함.	• 장신구: 청동으로 만들어 지배 계급이 사용
	• 채집, 수렵	• 채집, 수렵 • ㉤( ) 시작 잡곡 재배 • 빗살무늬 토기 사용 • 개, 돼지, 소, 양 등 가축 기르기 시작	• 벼농사 시작, 농업 생산량 증가 • 민무늬 토기 주로 사용
	• 동굴, 강가에 막집 지음.	• 바닷가나 강가, 움집 지음.	• 지상에 직사각형 형태 집 지음.
도구	• 뗀석기 사용 – 초기: 찍개, ㉥( ) 등 단순한 도구 – 후기: 긁개, 밀개, 슴베찌르개 등 정교한 도구	• 간석기 사용 – 괭이, 돌낫, 갈돌과 갈판	• 청동 도구 사용 – ㉦( )와 ㉧( ) 섞어 장신구, 무기 등 제작 • 농기구는 돌이나 나무로 만듦, 이삭 따는 ㉨( ) 사용

2단계 활동은 각 장 내용을 도표와 도식 등을 통해 분류·구조화하여 정리하는 것입니다. 비주얼씽킹이나 유명 노트 정리법에서 강조하는 것처럼, 다양한 정보를 도식화

하여 저장하면 더 오래 기억에 남고 정보의 인출도 쉬워집니다. 줄글로 펼쳐진《한 번에 끝내는 중학 한국사》본문이 어떤 방식으로 정리되는지를 생각하며 활동을 수행해 간다면 역사 외에 다른 과목을 스스로 공부하고 필기할 때에도 도움이 될 거예요.

3단계 - 역사 논술

역사 논술

1. 나라 이름도 없고, 뚜렷한 역사적 사건도 없었던 구석기 시대와 신석기 시대의 유물과 유적을 발견하는 일이 왜 중요할까?

그 시대에 꼭 알아야 할 내용을 문장으로 정리할 수 있도록 만든 문제들입니다. 학교 서술형 시험에서 단골로 출제되는 문제와 역사적인 주요 사안에 대한 여러분의 생각을 근거를 들어 조리 있게 펼쳐 볼 수 있는 문제들이 제시되어 있습니다. 한 번에 답이 떠오르지 않는다고 해도 책과 워크북의 내용을 다시 살펴보고 문장을 직접 손으로 써 보면 더 오래 기억에 남을 거예요.

실력 키우기

01. 다음의 밑줄 친 장소에 해당하는 곳은?

> 구석기 시대 유물의 대표 격으로 아시아권에서는 주로 찍개가, 서양에서는 주먹도끼가 발견되었어요. 하지만 이곳에서 주먹도끼가 발견되면서 새로운 논의가 시작되었지요.

① 황해도 봉산군 지탑리
② 부산시 동삼동
③ 울산시 울주군 반구대
④ 강화도 참성단
⑤ 경기도 연천군 전곡리

3단계 〈역사 논술〉까지 모두 풀어 본다면 어떨 것 같아요? 해당 부분이 머릿속에 굳건히 자리 잡았을 것 같지 않나요? 정말 그런지 확인하는 과정이 4단계입니다.

단계별로 학습한 내용을 잘 기억하고 있는지, 종합적으로 사고할 수 있는지 점검하는 과정이지요. 내용을 다시 찾지 않고 스스로 해결해 냈다면 손을 들어 자신의 머리를 쓰다듬어 주세요. "잘했어!" 하면서요. 단계별로 꼼꼼히 읽고 문제를 해결해 왔다면 매 장마다 자신을 칭찬하게 될 거예요. 그렇게 한 장, 한 장 읽으며 한국사 실력을 쌓아 가세요. 학교 내신 시험을 준비한다면, 4단계를 기준 삼아 풀어 보고 평가문제집 등을 활용해 다양한 유형과 단원 간 연계 문제를 풀어 보는 것이 좋아요.

마지막으로, 4단계와 같은 객관식 문제를 풀면서 공부할 때는 틀린 선지의 어느 부분이 틀렸는지 찾고 바르게 고치는 과정을 꼭 거치길 바랍니다. 이 방법만 꼬박꼬박 실천해도 대부분의 공부에서 큰 도움을 얻을 수 있답니다.

워크북 활동을 함께하는 선생님이나 부모님은 이렇게 도와주세요

〈1단계〉 읽기 전 활동으로는 해당 부분과 관련하여 학생들이 알고 있거나 궁금해하는 내용을 중심으로 흥미를 유발해 주시면 좋습니다. 읽기 중 활동인 '밑줄 치며 읽기'와 '빈칸 채우기'는 처음 한두 차시 정도는 함께 연습해 보는 것도 좋습니다. '정리하기'는 각 장별로 제시된 활동이 다릅니다. 질문에 어울리는 활동을 수행한 후 발표하는 시간을 갖는다면 복습 활동이 되어 읽은 내용이 단기기억에서 장기기억으로 넘어가는 데에도 도움이 됩니다.

〈2단계〉 활동은 각 장의 주요 어휘들을 중심으로 정보를 도식화한 단계이므로, 수행을 어려워하는 경우에는 1단계의 '빈칸 채우기' 활동이나 책 본문을 다시 펼쳐 보며 관련 내용이 익숙해지도록 합니다.

〈3단계〉 서술형 문제와 〈4단계〉 선다형 문제는 최신 개정 교과서에서 중요하게 다루고 있는 학습 목표를 중심으로 출제하였습니다. 쉽게 답이 생각나지 않더라도 끝까지 스스로 풀어 본 뒤에 정답을 확인할 수 있도록 지도해 주세요. 학교 내신 대비를 위해서는 본 교재 활동에 그치지 말고 평가문제집 등을 활용하여 보다 다양한 유형의 문제, 단원 간 내용이 종합된 문제를 풀게 할 것을 추천합니다.

목차
Contents

조선의 성립과 발전

: 우리 민족 문화가 활짝 피다

Part IV

Chapter 12

통치 체제와 대외 관계

조선, 국가의 기틀을 다지다

책을 읽기 전에

다음 질문에 대해 생각하며 12장 내용을 예측해 보자.

- 조선 초기 왕들이 이루어야 할 업적은 무엇이 있을까?
- 조선을 다스리는 데 《경국대전》과 같은 법전은 어떤 역할을 했을까?
- 조선은 어떠한 나라들과 교류했을까?

책을 읽으며

1. 조선 초기의 통치 체제와 대외 관계에 대한 내용을 읽으며 중요하다고 생각하는 부분에 밑줄 쳐 보자.

2. 부분별로 읽은 내용을 생각하며 빈칸을 채워 보자.

조선은 왜 한양을 수도로 정했을까?: 조선 건국과 한양 천도

1) (　　　) 정벌을 떠났던 이성계가 (　　　　　)에서 군사를 돌려 수도인 개경을 치고 권력을 장악했다. (　　　　　) 세력인 이성계와 뜻을 같이하는 (　　　　　)의 주도로 개혁을 시작했다.

2) 신진 사대부는 권문세족들이 불법으로 점유한 (　　　　)를 몰수했다. 토지의 수조권을 재분배한 (　　　　　)이 조선 초기까지 이어졌다.

3) 고려를 개혁하는 데는 모든 신진 사대부의 뜻이 같았지만, 고려를 지키려는 (　　　　)와 새 나라를 세우려는 (　　　　) 사이에 갈등이 생겼다. 이성계와 급진파 신진 사대부는 (　　　　)를 비롯한 온건파를 제거하고 (　　　　)을 건국했다.

4) 고려 때까지만 해도 지배층은 모두 (　　　　)이었으나 조선 시대에는 (　　　　)가 지배층으로 자리를 잡았다.

5) 태조 이성계는 고조선을 계승하겠다는 뜻에서 나라 이름을 (　　　　)으로 정하고, 다음 해에는 (　　　　)으로 수도를 옮겼다.

6) 조선은 (　　　　) 국가로 한양을 둘러싼 4대문의 이름에 (　　　　)를 사용했다. 동대문은 (　　　　), 서대문은 돈의문, 남대문은 (　　　　), 북대문은 숙정문이라 했다.

7) 유교에서는 (　　)를 가장 중요한 가치로 여겼다. 태조는 조상의 신주를 모시고 제사를 지내는 (　　　　)를 궁궐 왼편에 지었다. 궁궐 오른편에는 토지신과 곡식 신에게 제사를 지내는 (　　　　)을 두었다.

8) 조선은 하늘의 뜻을 받들어 백성을 다스리겠다는 의미의 (　　　　)을 지었다. 정문인 (　　　　)을 지나면 왕의 즉위식이나 외국 사신을 맞는 의식, 그 외 국가적 큰 행사를 치르는 (　　　　)이 있다. 이곳 앞바닥에는 (　　　　)이 세워져, 신하들은 자신의 품계에 따라 정해진 위치에 섰다.

9) 근정전을 통과하면 왕이 신하들과 함께 나랏일을 보는 (　　　　)이 있다. 사정전은 (　　　　)이라고도 불렀다.

10) 사정전의 뒤쪽으로는 왕이 잠을 자거나 책을 읽고 휴식을 취하는 등 개인적인 일을 주로 하는 (　　　　)과 왕비의 사적 공간인 (　　　　)이 나란히 있다.

(B) 태종이 호패법을 실시한 까닭은?: 조선의 국가 기틀 확립

1) 태조는 국가의 기틀을 마련하는 데 상당히 공을 들였다. (   )은 조선의 으뜸 개국 공신이자 조선의 기틀을 마련한 인물이었다.

2) 태조가 (   )을 국가 통치 이념으로 삼은 것이나 (   )를 규제하는 억불 정책을 실시한 것 모두 정도전의 건의에 따른 것이었다.

3) 정도전은 (   )이 사대부를 거느리고 정치를 하는 재상 중심의 정치가 가장 이상적인 (   ) 정치라고 주장했다. 또한 자신의 이상을 실현하기 위해서는 권력 욕심이 강한 (   )이 왕이 되어서는 안 된다고 생각했다.

4) (   )은 두 차례 왕자의 난을 일으켰고, 정도전과 남은을 비롯한 개국 공신을 모두 제거했다. 정종은 왕에 오른 지 얼마 되지 않아 이방원에게 왕위를 넘겨주었고 이가 바로 (   )이었다.

5) 태종은 왕족과 개국 공신의 (   )을 해체했다. 공신의 군사 기반을 약화하고 (   )을 강화하기 위해서였다. (   )도 약화하고 (   )로부터 직접 보고를 받았다.

6) 태종은 16세 이상의 남자들은 (   )를 지니고 다니도록 했다. 호패법은 왕권 강화에 도움이 되었다. 호패법을 시행하면 전국 어느 지역에 어떤 사람이 살고 있는지 인구 현황을 파악하고 제대로 (   )와 (   )을 부과할 수 있었다.

7) 태종은 억울한 백성이 북을 두들겨 하소연하는 (   ) 제도도 만들었다.

8) 태종의 셋째 아들 충녕 대군이 바로 (   )이었다. 태종이 국가 기틀을 다지고 왕권을 강화한 덕분에 세종은 (   ) 정치에 전념할 수 있었다.

9) 세종은 유교의 이상에 맞는 정치, 백성을 위한 (   ) 정치를 실현하려 노력했다. 학문 연구 기관인 (   )을 설치한 후 왕과 신하들이 유학을 토론하는 (   )과 유학자들이 세자를 가르치는 (   )을 시작했다.

10) 세종은 황희나 맹사성 같은 학자들을 재상으로 임명해 (   ) 회의를 주관하도록 했다. 군사나 인사 분야와 같은 중대한 업무만 관여하고 나머지 국정은 의정부에서 처리하게 하여 (   )과 (   )의 조화를 꾀했다.

11) 세종은 (   )을 위해 각종 서적을 만들도록 했고, (   ) 제도도 개혁했다. 땅의 품질에 따라 6등급으로 나누는 (   ), 그해 수확량에 따라 9등급으로 나누는 (   )을 실시했다.

12) 한자만을 숭상하는 일부 유학자들의 반대를 물리치고 (   )을 창제했다. 이것으로 백성들은 자신의 생각을 쉽게 글로 표현할 수 있게 되었다.

13) 세종 시절 (   ), 해시계 등 첨단 과학 기구를 발명했고 남쪽으로는 (   ) 섬 정벌, 북쪽으로는 (   )을 토벌해 영토를 넓혔다.

14) 세종의 뒤를 이은 (   )은 몸이 약해 일찍 세상을 떠나고 그의 뒤를 이어 12세 어린 왕자가 왕이 되었는데, 그가 (   )이었다.

15) 단종이 어려 (   )와 같은 재상의 세력이 커지자 문종의 동생인 수양 대군이 반란을 일으켜 김종서를 제거하고 단종을 몰아내 왕에 올랐는데, 그가 바로 (   )였다.

16) 세조는 의정부 기능을 약화시켜 (   )로부터 직접 보고를 받았다. 자신을 반대하는 신하는 처형하거나 유배를 보냈다. (   )을 폐지하고 (   )도 폐쇄했다.

17) 세조는 고려 말부터 시행된 과전법을 고쳐 현직 관리에게만 수조권을 주는 (   )을 실시했다.

18) 세조는 (   ) 개척에도 힘썼다. 조선의 헌법에 해당하는 (   ) 법전을 편찬하기 시작했다.

19) 조선의 9대 왕인 (   )은 집현전의 기능을 이어받은 (   )을 새로 만들었다. 이곳은 왕에게 정치 자문을 하는 역할을 했다.

20) 성종은 경작을 하는 사람들에게 중앙 정부가 직접 세금을 거두어 현직 관리에게 주는 방식인 (   )를 시행했다. 이 제도 시행으로 신라 때부터 있어 왔던 토지 (   )이 사라지게 되었다.

21) 성종 때 《경국대전》이 완성되어 시행됨으로써 (   ) 국가로서의 기틀을 구축했다.

왕은 왜 신하들과 토론을 벌였을까?: 통치 체제 정비 : 중앙 및 지방 조직

1) 조선 전기 최고의 국정 기구는 영의정, 좌의정, 우의정 등 재상들이 모여 정책을 논의하는 (   )였다. 이곳에서 의견을 수렴하여 왕에게 보고하면 왕이 승인하고, 의정부 산하의 이조, 호조, 예조, 병조, 형조, 공조 등 (   )가 정책을 집행했다.

2) 왕이 권력을 남용하거나 관리들이 부정부패를 저지르는 것을 감시하기 위한 기구로 (   )가 있었다. (   )는 관리들을 감시하고 비리가 의심되면 즉각 왕에게 보고해 조사하거나 처벌했고, (   )은 왕의 결정이 잘못되었을 때 쓴소리를 하는 간쟁을 맡았다. (   )은 왕의 자문 기관으로 경연을 담당했다.

3) (   )은 왕의 비서실 역할을 했다. (   )는 범죄를 수사하고 죄인을 처벌하는 역할을 맡았다. 이 두 기구는 철저히 왕명에 의해 움직였기에 강력한 (   )을 확립하는 데 도움을 주었다.

4) (   )은 역사 편찬을 담당했고, 한성부는 수도 한양의 치안과 일반 행정 업무를 맡았다.

5) 지방 행정 조직으로는 전국을 (   )로 나누었고, 그 밑으로는 부-목-군-현을 두었다. 고려 시대까지 특수 행정 구역으로 있던 향, 부곡, 소는 없애고 모두 (   )과 (   )으로 승격시켰다.

6) 각 도에는 오늘날의 도지사에 해당하는 (   )를 파견했으며, 부에는 부사, 목에는 목사, 군에는 군사, 현에는 현령을 중앙 정부에서 파견했다.

7) 지방으로 파견된 (   )은 일반 행정, 군사, 사법 업무를 맡았다. 관청에서 일할 하급 관리인 (   )을 수령이 따로 뽑아 (   )라 불렀다.

8) (   )는 양반들이 모여 수령의 지방 통치에 필요한 자문을 하고 향리들의 비리를 감시했다.

9) 외적이 쳐들어올 경우를 대비해 만든 성벽 도시인 (   )도 있었다. 외적이 쳐들어오면 백성들은 이곳으로 들어가 방어 태세를 갖추었다. 낙안 읍성, 해미 읍성이 현재까지 남아 있다.

농민도 과거 시험을 볼 수 있었을까?: 군사 조직, 조세 제도 및 관리 선발 제도

1) 조선 시대 군대는 크게 중앙군과 지방군으로 나누었다. 중앙군인 (   )는 궁궐과 (   )을 방어했고, 지방군으로는 육지의 병영, 해안의 수영이 설치되었다. 병영에는 병마절도사, 수영에는 수군절도사가 파견되어 군사 업무를 지휘했다.

2) 조선 시대 국방의 의무를 (　　　)이라 했다. 양반, 관료, 학생, 향리를 제외한 16~60세의 (　　　) 남자는 반드시 군역을 치러야 했다. 군역은 직접 군대에 가는 것과 (　　　)를 냄으로써 국방에 필요한 비용을 지불하는 것 두 가지 방법이 있었다.

3) 외적이 침략하면 (　　　　)가 연기나 불로 적의 침략을 알렸다.

4) 물자는 신속하게 수송하고 왕명을 빨리 전달하기 위해 (　　　)을 운영했다.

5) 조선 전기 세금의 종류 세 가지는 토지에 매기는 (　　　)가 가장 비중이 컸고, 관청에서 필요한 특산물을 바치는 (　　　), 토목 공사나 국방의 의무를 이행하는 (　)이었다.

6) 조선 중기 이후로 조세 외에 (　　　) 제도는 정부가 농민에게 봄에 곡식을 빌려주고 가을에 이자를 얹어 받는 것이었다.

7) 세금을 거두면 주로 강과 바닷길을 이용해 서울의 창고인 (　　　)으로 옮기는 (　　　) 제도가 있었다. 하지만 중국과 국경을 접한 (　　　　)와 (　　　　)는 사신 접대와 국방에 쓰이는 돈이 많이 필요했기 때문에 이 지역 세금은 현지에서 쓰도록 했다.

8) 과거 시험은 문관을 뽑는 (　　　), 무관을 뽑는 (　　　), 기술관을 뽑는 (　　　)로 나뉘었고 대체로 (　　　)마다 시행되었다.

9) (　　　)이 되려면 두 차례 과거 시험에 합격해야 하는데, 1차로 (　　　)를 치렀다. 소과에 합격하면 생원 혹은 진사가 되어 (　　　)를 치를 수 있는 자격을 얻었고 성균관에 입학할 수도 있었다.

10) 과거 시험을 준비하는 중등 교육 기관으로는 정부가 운영하는 한성의 (　　　) 학당이 있었다. (　　　)이라면 8세부터 입학이 가능했다. 《소학》과 사서를 공부하며 생원과와 진사과를 준비했다. 지방의 과거 준비생들은 유학을 가르치는 (　　　)에서 공부했다.

11) 양인이라면 누구나 과거에 응시할 수 있었다. 주로 (　　　)들이 문과에 응시했고, 중인, 상민, 향리 자제는 (　　　)를 치렀다. 잡과는 향리 자제가 응시했다.

12) 과거 시험을 치르지 않고 벼슬을 얻는 방법도 있었다. 고려 시대 (　　　) 이상의 고위 관료 자제들에게 벼슬을 주는 (　　　) 제도가 조선 시대에도 이어졌다.

13) 이 밖에도 품행이 올바르고 능력이 뛰어난 사람은 정 3품 이상의 관료로 추천하는 (　　　) 제도가 있었다. 중종 시절 운영되었던 (　　　　)가 대표적이다.

B 여자도 부모의 재산을 물려받았다고?: 《경국대전》에 나타난 조선 사회

1) 《경국대전》은 조선의 헌법으로 통치 조직에 대한 모든 규정이 담겨 있었다. 의정부 밑에 (　　　)에 맞추어 6전으로 구성되었으며, 법 조항은 총 319개였다.

2) 조선의 백성들은 법전에 정해진 대로 삶을 살아야 했는데, (　　　)을 어떻게 구분하는지도 잘 나와 있었다. 《경국대전》의 기록을 보면 조선 시대 신분 제도는 양인-천민의 2단계로 구분한 (　　　　)였다.

3) (　　　)은 양반이라 부르는 사대부와 농민으로 누구나 (　　　)에 응시해 (　　　)을 할 수 있었다.

4) 《경국대전》에서는 남자 15세, 여자 14세가 되면 (　　　)할 수 있다고 정해 놓았다. 관청의 여자 (　　　)는 출산 전후로 100일의 휴가를 쓸 수 있었고, 남편도 출산 휴가를 쓸 수 있었다.

5) 조선 전기에는 (　　)이라도 부모의 (　　　　)을 (　　　　)할 수 있었고, 부모의 (　　　　)를 아들 대신 지낼 수도 있었다.

세종이 왜인에 삼포를 개항한 까닭은?: 조선의 외교 정책 및 대외 교류

1) 조선은 (　　)을 강자로 인정하고 섬기는 (　　　　) 정책을 시행했다. 사신과 조공을 보내고 명의 선진 문물을 받아들였다.

2) 조선 주변의 남쪽으로는 (　　　　)이, 북쪽으로는 (　　　　)이 있었는데, 이 두 나라에 대해서는 (　　　　) 정책을 실시해 우호적으로 지냈다.

3) 조선은 일본과 여진에 대해 잘 지내되, 그들이 도발하면 바로 응징하는 (　　　　)와 (　　　　)을 함께 썼다.

4) 세종 때 왜구들이 조선 바다와 해안 지방에서 노략질을 하자 왜구의 근거지인 (　　　　　)섬을 토벌했다.

5) 쓰시마섬 정벌은 성공적이었는데, 세종의 왕명을 받은 (　　　　　)가 227척의 병선을 이끌고 가 큰 타격을 입혔고, 잡혀 있던 조선인을 데려왔다.

6) 쓰시마섬 사람들이 조선과의 (　　　　)을 요청하자, 세종은 제포, 부산포, 염포 등 (　　　　)를 열어 왜인들이 무역을 할 수 있도록 허락했다.

7) 세종은 여진에 대해서도 토벌과 회유를 동시에 진행했다. 북쪽의 (　　　　)이 국경을 자주 침범하자, (　　　　　) 지역에 파견된 (　　　　　)은 여진을 몰아내고 (　　　)을 설치했다.

8) 세종은 두만강 지역에도 김종서를 보내 (　　)을 제압하도록 했다. 김종서는 (　)을 설치했고, 4군 6진이 만들어지면서 조선의 영토는 (　　　　　)~(　　　　　) 일대로 넓어졌다.

9) 조선은 (　　)에서 도자기나 서적, 비단, 약재와 같은 문화 상품을 수입했고, 금과 은, 인삼을 수출했다.

10) (　　　)에는 서적, 식량, 의복을 수출했고, 구리, 황, 향로 같은 것을 수입했다. (　　　)에는 식량과 농기구를 수출했고, 말, 모피, 은 등을 수입했다.

11) 조선은 일본의 남서쪽 오키나와 지역인 류큐 왕국과 (　　　), (　　　　　)의 동남아시아 나라들과도 교역했다.

3. 조선 초기 왕 중 기억나는 왕은 누구인지, 업적과 함께 정리해 보자.

12장 내용을 한눈에 정리해 보자.

조선의 기틀을 다진 태조부터 성종까지

1. 빈칸을 채우며 건국부터 기틀을 다지기까지 큰 역할을 한 왕들의 업적을 알아보자.

태조 1대
- 신진 사대부, 신흥 무인 세력과 함께 조선 건국(1392년)
  - 국호: 조선, 수도: 한양, 정궁: 경복궁
- ㉠(　　　)을 국가 통치 이념으로 삼고 불교 규제 정책 실시
  ⇒ ㉡(　　　)의 주도하에 기틀을 만들어 감.

㉢(　　) 3대
- 재상 중심의 정치를 주장하는 정도전과 대립하며 두 차례 왕자의 난을 일으키고, 정종에 이어 왕위에 오름.
- ㉣(　　) 중심 정책 시행: 공신과 왕족의 사병 해체, 6조 직계제, 호패법 실시, 신문고 설치

세종 4대
- 백성을 위한 ㉤(　　) 정치 실현 노력함.
  - 세금 제도 개혁, 훈민정음 창제, 각종 서적 편찬, 과학 기구 발명
- 왕권과 신권의 ㉥(　　) 추구: 의정부 권한 강화, 집현전 설치

㉦(　　) 7대
- 조카인 단종을 몰아내고 왕위에 오름.
- ㉧(　　) 중심 정책 시행: 의정부 기능 약화, 6조 직계제, 집현전 폐쇄, 직전법 시행, 《㉨(　　　　)》 편찬 시작함.

㉩(　　) 9대
- 작은아버지인 예종의 뒤를 이어 왕위에 오름.
- 조선의 정치 방향 확정, 유교 통치 체제 확립
  - 의정부 권한 ㉪(　　), 경연 부활, 관수관급제 시행, 《경국대전》 ㉫(　　), 홍문관 설치

조선의 통치 체제

1. 조선의 중앙 정치 조직이 어떻게 구성되었는지 완성해 보자.

왕

㉠(　　)	의금부	의정부	㉡(　　)	춘추관	한성부
국왕의 비서, 왕명 전달	범죄 수사, 죄인 처벌	3정승 합의하여 국정 총괄함.	**사헌부:** 관리 감시 **사간원:** 간쟁 **홍문관:** 왕의 자문 기관	역사 편찬	한양 행정, 치안 담당

㉢(　　)

이조	호조	예조	병조	형조	공조
문관 인사	세금 징수	교육, 외교	국방, 군사	형벌, 소송	건설, 수공업

2. 빈칸을 채우며 조선의 지방 행정 조직에 대해 정리해 보자.

㉠(　　)
- 함경도, 평안도, 황해도, 경기도, 강원도, 충청도, 경상도, 전라도
- 관찰사(부사) 파견

부	목	㉡(　)	현
– 부사(수령) 파견	– 목사(수령) 파견	– 군수(수령) 파견	– 현령(수령) 파견

• 중앙에서 파견한 관리인 ㉢(　　)의 업무
 – 일반 행정, 군사, 사법 업무

• 하급 관리인 ㉣(　　)(아전)의 업무

3. 조선의 군사 조직과 조세 제도를 정리해 보자.

〈군사 조직〉

군대	중앙군(5위)	궁궐과 ㉠(　　) 방어
	㉡(　　)	병영(육지): 병마절도사 파견 군사 업무 지휘 수영(해안): 수군절도사 파견 군사 업무 지휘
	잡색군	예비군: 평상시 생업 종사, 유사시 소집됨.
	군역 제도 – 대상: 16~60세의 ㉢(　　) 남자 – 방법: 직접 군대에 가거나 ㉣(　　)를 내 국방 비용 지불함.	

〈조세 제도〉

세금	㉤(　　)	토지에 매기는 세금, 비중이 가장 큼.
	공납	관청에서 필요한 ㉥(　　), 마을 단위로 책정함.
	㉦(　)	토목 공사나 국방의 의무로 이행함.

4. 빈칸을 채우며 조선의 관리 선발 제도에 대해 알아보자.

과거 시험	문과	• 문관 선발 시험 • 소과(생원과, 진사과)와 대과로 구분함. 　– ㉠(　　) 합격하면 ㉡(　　) 치를 자격과 ㉢(　　　) 입학 자격 얻음. 　– 시험 준비: 한성은 4부 학당에 입학해 시험 준비, 지방은 향교에서 공부함. • 응시 자격: ㉣(　　)은 누구나 가능하지만 주로 양반들 응시함.
	무과	• 무관 선발 시험 • ㉤(　　　　)에 대한 필기시험 치르기도 함.
	㉥(　　)	• 기술관 선발 시험 • 역과, 율과, 의과, 음양과

시험 치르지 않음	음서 제도	• 2품 이상의 관료 자제에게 과거 시험 치르지 않고 낮은 벼슬 줌.
	ㅅ(　　) 제도	• 품행 올바르고 능력 뛰어난 사람을 정3품 이상 고위 관료로 추천함. • 중종: 현량과
	취재	• 관리가 되지 못한 사람 대상 특별 시험

조선의 외교 정책 및 대외 교류

1. 빈칸을 채우며 조선의 외교 정책을 정리해 보자.

조선은 ㉠(　)을 강자로 인정하고 섬기는 ㉡(　　) 정책을 시행했다. 조선과 명의 국력 차이를 인정하면서 실리를 챙기는 외교 정책이라고 할 수 있다.

일본과 여진에 대해서는 우호적으로 지내는 ㉢(　　) 정책을 실시했지만, 그들이 도발하면 바로 응징했다. 세종 때 왜구의 근거지인 쓰시마섬 정벌에 성공한 후, 교역을 요청하자 받아들여 ㉣(　　) 에서 왜인들의 무역을 허락했다. 북쪽의 여진도 몰아낸 후 ㉤(　　　　)을 설치한 후, 무역할 수 있는 장소를 지정해 필요한 생필품을 교역할 수 있게 했다.

2. 빈칸을 채우며 조선과 주변 국가들의 교역품을 알아보자.

명나라
- 조선의 수출품: 금, 은, ㉠(　　)
- 조선의 수입품: 도자기, 서적, 비단, 약재

여진
- 조선의 수출품: 식량, ㉡(　　　)
- 조선의 수입품: 말, 모피, 은

조선

일본
- 조선의 수출품: ㉢(　　), 식량, 의복
- 조선의 수입품: 구리, 황, 향로

일본의 남서쪽 **류큐**, ㉣(　　　　　　)
나라들과도 교역함.

한눈에 보기

그 당시 세계는?

15세기가 되면서 유럽은 중세 봉건 사회가 자취를 거의 감추는 큰 변화를 겪었다. 14세기부터 이탈리아에 등장한 르네상스가 큰 변화의 시작이었다. '인간 중심의 문화로 돌아가야 한다.'는 인문주의를 주장한 지식인들은 인간적인 고대 그리스·로마 문화에 주목했다. 르네상스는 미술, 문학, 건축, 인문학, 과학 등 여러 분야에서 동시에 진행되었고, 16세기 이후에는 알프스 이북의 프랑스, 독일, 영국, 에스파냐 등으로 확산하였다.

1. 조선 초기 왕들의 계보와 업적을 정리해 보자.

1대 태조	2대 정종	3대 (㉡)	4대 (㉢)
• 조선 건국 • 한양 천도 • 성리학을 통치 이념으로 함.	• 태조 둘째 아들	• 태조 다섯째 아들 • (㉣) 실시: 의정부 기능 약화 • (㉤) 실시: 인구 파악, 세수 확보 • 사병 폐지	• 태종의 (㉥) • 집현전 설치 • 왕권과 신권의 조화 추구 • 경연, 서연 시작 • 영토 확장: (㉦) 설치

5대 문종	6대 단종	7대 (㉧)	8대 예종	9대 성종
• 세종 첫째아들	• 문종 첫째아들	• 세종 둘째 아들 • 6조 직계제 실시 • 토지 제도: (㉨) 실시 • 경국대전 편찬 • (㉩) 폐지	• 세조 둘째 아들	• 예종의 조카 • 국가 통치 질서 확립 • (㉪) 완성 • 경연 재개 • (㉫) 설치: 왕의 자문역할

1) 빈칸에 들어갈 말을 써보자.

2) 왕들의 업적 중 왕권 강화에 기여했다고 생각하는 정책들을 고르고, 각각 어떤 정책인지 간략히 설명해 보자.

실력 키우기

01. 다음 중 조선에 대한 설명으로 옳은 것은?

① 고려의 문벌 귀족 세력이 중심이 되어 나라를 세웠다.

② 신분 계층은 양인-천민으로 구분했다.

③ 건국 초기부터 남존여비와 같은 차별의식이 퍼졌다.

④ 관리를 뽑는 과거시험에는 양반만 응시할 수 있었다.

⑤ 지방 향리를 중심으로 중앙 집권 체제를 갖추었다.

02. 다음 사건을 시간 순서대로 나열하시오.

(ㄱ) 과전법 시행	(ㄴ) 사병 폐지	(ㄷ) 경국대전 완성
(ㄹ) 쓰시마섬 정벌	(ㅁ) 집현전 폐쇄	

03. 빈 칸에 들어갈 알맞은 말끼리 묶인 것은?

> 조선 외교의 기본 원칙은 (㉠)이라고 할 수 있다. 명에 대해서는 사신과 조공을 보내는 대신 선진 문물을 받아들이며 (㉡)를 추구했다. 일본과 여진에 대해서는 회유와 토벌을 함께 쓰는 (㉢)을 썼다. 대표적으로 세종은 (㉣)에게 명해 쓰시마섬을 토벌하게 하는가 하면 (㉤), 제포, 염포를 열어 왜인들이 무역할 수 있도록 허락했다.

	㉠	㉡	㉢	㉣	㉤
①	사대교린	실리	우호 정책	김종서	울산포
②	우호 정책	명예	사대 정책	이종무	부산포
③	사대교린	실리	교린 정책	이종무	부산포
④	적대적 정책	실리	교린 정책	김종서	울산포
⑤	우호 정책	명예	사대 정책	최윤덕	제물포

04. 조선 시대 교육 및 과거 제도에 대한 설명으로 옳지 않은 것은?

① 원칙적으로 양인 이상은 누구나 응시할 수 있었다.

② 현실적으로 농민이 응시하는 경우는 드물었다.

③ 교육 기관으로는 지방의 4부 학당과 향교가 있었다.

④ 고려 시대의 음서 제도가 조선에서도 이어졌다.

⑤ 문관을 뽑는 문과, 무관을 뽑는 무과, 기술직을 뽑는 잡과가 있었다.

실력 키우기

05. 지도에 표시된 지역을 개척한 왕이 집권한 시기의 일로 볼 수 있는 것은?

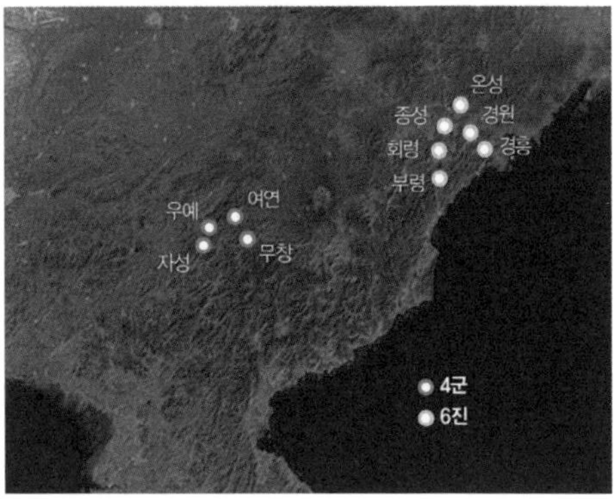

① 강력한 왕권을 바탕으로 중앙집권제가 성립됐다.

② 경연과 서연을 활성화해 유교적 이상 정치를 추구했다.

③ 백성들에게 토지를 골고루 나눠 주고 세금을 균등하게 거두었다.

④ 집현전을 설치해 과학 기술 향상에 힘썼다.

⑤ 여진과 일본에 대해서는 강경하게 맞서는 교린 정책을 펼쳤다.

06. 조선의 통치 제도에 대한 설명 중 옳지 <u>않은</u> 것은?

① 전국을 8도로 나누고 그 아래 부, 목, 군, 현을 두었다.

② 모든 군, 현에 수령을 파견하여 중앙 집권 체제를 완성하였다.

③ 지방에 유형소를 만들어 파견된 수령을 관리, 감독하였다.

④ 16~60세의 모든 양인 남자는 군역의 의무를 졌다.

⑤ 백성이 부담해야 하는 세금에는 전세, 공납, 역이 있었다.

07. 다음에서 설명하는 정치 기구는 무엇인가?

- (가)은/는 임금에게 바른말을 하고, 정치의 잘잘못을 따져 지적하는 일을 맡는다.

– 《경국대전》

- (나)은/는 모든 관리를 감찰하며 신하가 법을 어기면 왕에게 상소하여 잘못을 논한다.

– 정도전, 《경국대전》

Chapter 13

사림 세력과 정치 변화

모든 백성은 성리학 질서를 따르라

책을 읽기 전에

이번 장에서 읽고 기억해야 할 내용은 무엇일지 《한 번에 끝내는 중학 한국사》에서 안내하는 내용을 바탕으로 생각해 보자.

- 훈구 세력과 사림이 갈등을 벌인 이유와 4대 사화를 순서대로 이야기해 보세요.
- 사림은 전국적으로 성리학적 질서를 확산시키기 위해 어떤 일들을 했나요?
- 동서 붕당이 일어난 이유와 동인과 서인의 특징을 설명해 보세요.
- 붕당 정치의 장점과 단점에 대해 설명해 보세요.

책을 읽으며

1. 사림 세력과 정치 변화에 대한 내용을 읽으며 중요하다고 생각하는 부분에 밑줄 쳐 보자.

2. 부분별로 읽은 내용을 생각하며 빈칸을 채워 보자.

성종이 사림을 발탁한 이유는?: 사림의 등장

1) (　　　　　　) 때 세조를 도운 사람들은 그에 대한 보상으로 공신의 지위에 올라 고위 관직을 얻고 땅과 노비도 받았는데, 이들 세력을 (　　　) 세력이라 했다.

2) 성삼문을 비롯한 6명의 신하는 단종 복위를 꾀하다 처형되어 (　　　　　)이라 했고, 단종을 추모한 김시습을 포함한 6명의 신하는 (　　　　　)이라 불렀다.

3) (　　　)은 도덕과 명분을 중요하게 여겼다. 이들은 왕도 유교 윤리를 지켜야 하며 신하들과 소통하면서 백성을 위한 (　　　) 정치를 해야 한다고 주장했다.

4) 성종이 왕위에 오를 때까지만 해도 사림 가운데 중앙 정치에 진출한 사림은 거의 없었고, 중앙을 장악한 세력은 대부분 (　　　) 세력이었다.

5) 성종은 훈구 세력을 견제하기 위해 지방에 있던 (　　　)을 중앙으로 불러들였다. 성종의 총애를 받은 (　　　　)이 제자들을 중앙으로 불러들이며 사림도 정치 세력을 형성하기 시작했다.

6) 사림 세력은 주로 언론 역할을 하는 (　　　)에서 근무하며 훈구 세력의 잘못을 꼬집었다.

7) 사림 세력을 꺾기 위한 훈구 세력의 음모에 사림 세력이 큰 피해를 입는 (　　　)가 네 차례 일어났다.

B 연산군 실록이 없는 까닭은?: 훈구와 사림의 갈등 그리고 4대 사화

1) 연산군이 왕위에 오르고 4년 뒤, 실록에 쓴 역사 초고인 (　　　)가 발단이 되어 (　　　　)가 일어났다.

2) 훈구 세력은 성종실록을 만들 사초에 김종직이 쓴 (　　　　)이라는 글을 이용해 사림과 왕을 이간질했다. 연산군은 이미 사망한 김종직을 부관참시했고, 다른 사림도 처형하거나 귀양을 보내며 사림 세력을 공격했다.

3) 연산군은 생모인 폐비 윤씨를 왕후의 지위로 돌려놓는 복권 운동을 추진했다. 이후 반대하는 사림 세력과 윤씨 폐비에 관여했던 훈구 세력까지 한꺼번에 탄압하며 (　　　　)를 일으켰다.

4) 연산군의 폭정을 보다 못한 (   ) 세력이 새로운 왕으로 중종을 추대하는 (   )을 일으켰다.

5) 훈구 세력이 다시 권력을 장악하자 맞서 싸울 힘이 부족했던 중종은 (   )의 방식을 따라 (   ) 세력을 등용했다.

6) 사림 세력의 우두머리인 (   )는 중종반정 때 공을 세운 사람들을 기록한 공신 명부를 다시 작성하고, 지방의 우수한 인재를 과거 시험 없이 추천만으로 관리에 임명하는 (   )를 시행했다.

7) 현량과 제도 덕분에 사림이 중앙으로 진출했고, 도교 행사를 주관하던 (   )는 유교 이념에 어긋난다며 폐지되었다.

8) 조광조가 지나치게 이상적인 (   ) 정치를 주장해 중종에게 버림받았고, 조광조를 비롯한 사림 세력이 처형되는 (   )가 일어났다.

9) 명종 때 세자 책봉과 왕위 계승을 둘러싸고 외척 세력이 권력 다툼을 벌이는 과정에서 사림 세력이 희생되는 (   )가 일어났다.

ⓑ 성리학에서는 왜 여자와 남자가 동등하지 않을까?: 서원과 향약을 통한 성리학 질서의 확산

1) 네 번의 (   )로 사림 세력은 큰 타격을 입었지만 꾸준히 중앙 진출을 시도했으며, 이들이 재기의 발판으로 삼은 것은 (   )과 (   )이었다.

2) 도덕과 명분이 부족했던 (   ) 세력은 점점 약해졌고 선조가 통치하던 16세기 후반에는 중앙과 지방을 모두 (   ) 세력이 장악했다.

3) 사림 세력이 정치 권력을 장악하자 조선은 (   ) 질서가 자리 잡기 시작했다.

4) 사림은 향촌에 (　　　)을 세웠다. 서원은 명망을 얻었던 옛 유학자의 제사를 지내는 (　　　)과 지방 양반 자제들을 교육하는 학교 역할을 동시에 했다.

5) 서원은 학생들에게는 (　　　　)을 공부하는 장소이고, 지방의 사림에게는 사랑방이자 소통의 공간이 되었다. 사림은 이곳에 모여 정치와 철학을 논하고 향촌에 성리학 질서를 정착시킬 방법을 찾았다.

6) 중종 때 주세붕이 만든 (　　　　) 서원이 최초의 서원이었다. 이곳에서 고려 말 국내에 성리학을 보급한 (　　　)을 기리며 제사를 지냈다.

7) 백운동 서원은 왕의 현판을 하사받은 최초의 사액 서원이 되면서 이름을 (　　　) 서원으로 바꾸었다.

8) 소수 서원을 시작으로 전국에서 서원의 수가 크게 늘었고, 정부도 주요 서원에 (　　　)와 노비를 하사하고 서적을 지원했으며 (　　　)도 면제했다.

9) 각 지방에는 중앙에서 임명한 (　　　)이 있었고 그들은 그 지방 출신 (　　　)들의 보좌를 받으며 지방을 다스렸다. 또한 지방 양반들의 모임인 (　　　　)로부터 자문을 받았다.

10) 유향소를 사림이 장악한 후 향촌에 적용한 자치 규약인 (　　　)을 만들어 보급했다. 이는 (　　　) 이념을 향촌 구석구석까지 전파하기 위해서였다.

11) 향약은 (　　　) 단위로 시행되었는데, 백성들이 잘 지키고 있는지를 (　　　)이 감시했다.

12) 향약은 반드시 지켜야 할 4대 덕목이 있었으며, 철저하게 (　　　　)적 질서를 따랐다.

13) 사림은 유교적인 관·혼·상·제를 정리한 《주자가례》를 향촌에 보급했다. 또한 유교적인 도덕을 논할 때는 (　　　　　　　)을 따졌다.

14) 삼강오륜을 실천하기 위해서는 최소한의 (　　　　)을 공부해야 한다고 생각해 전국에 유학 서적인 《(　　　　)》을 보급했다.

🅔 사림은 어떻게 동인과 서인으로 분열했을까?: 사림의 집권과 붕당 정치의 시작

1) 16세기 중반 중앙 정계를 장악하고 있던 사림은 이조 전랑을 뽑는 과정에서 (　　　　) 사림과 (　　　　) 사림의 갈등이 거듭되어 두 파벌로 나뉘었다.

2) 김효원을 따르는 신진 사림은 (　　　　), 심의겸을 지지하는 기성 사림은 (　　　　)이라 부르기 시작했고, 사림이 분열한 이 사건을 두고 동서 (　　　　), 혹은 동서 (　　　　)이라 했다.

3) 동서 붕당 이후 야당 역할을 한 (　　　　)은 영남 지방의 대학자 이황과 조식의 학풍을 계승해 (　　　　　　　)로 분류했다.

4) 여당 역할을 한 (　　　　)은 경기와 충청 일대의 대학자 이이와 성혼의 학풍을 계승해 (　　　　　　　)라 했다.

5) 붕당 정치는 조선 후기까지 이어졌으며, 성리학에 입각한 (　　　　) 정치를 추구했다. 동인과 서인이 정치적 이상을 실현하기 위해 주장한 방법은 달랐지만, 상호 비판하고 견제하며 (　　　　) 정치를 발전시켰다.

6) 동서 붕당이 있고 15년 정도가 흐른 뒤 동인의 (　　　　　)이 반란을 일으켰다. 서인인 정철이 이 사건을 조사하는 과정에서 1,000여 명의 (　　　　)을 처형하거나 유배 보내는 (　　　　　　　)가 터졌다.

7) 동인이 기축옥사에 대한 복수를 벌이고 집권 붕당이 되었지만 그 과정에서 (   ) 와 (   )로 나뉘었다. 강경파는 한양의 북쪽에 살아서 (   ), 온건파는 남쪽에 살아서 (   )이라 했다.

3. 사림 세력이 네 차례의 사화에도 불구하고 16세기 이후 중앙 권력을 장악할 수 있었던 배경을 생각해 보자.

한눈에 보기

13장 내용을 한눈에 정리해 보자.

사림이 화를 입은 사화

1. 훈구파와 사림파의 갈등 과정과 그로 인한 사화를 순서대로 알아보자.

• ㉠(　　) 세력
– 계유정난 때 세조를 도움.
– 공신의 지위에 올라 권력을 가짐.

↔

• ㉡(　　) 세력
– 조선 건국 반대해 지방으로 내려간 사대부들의 제자, 향촌에서 영향력 키움.

성종 이전
• 훈구 세력이 중앙 정부 장악함.
• 사림 세력 중앙 정계 진출 거의 없음.

성종
• 사림 등용, 훈구 세력에 맞서게 함.
– ㉢(　　　)과 제자들이 사림 세력 형성함.
– 사림들, 삼사에서 근무하며 훈구 세력 비판함.

◎(　　)

네 번의 사화

1. ㉣(　　)사화
• 훈구 세력, 사초에 실린 김종직의 〈조의제문〉 이용해 사림 제거하려 함.
• 연산군이 사림을 제거함.

2. ㉤(　　)사화
• 연산군의 친어머니 윤씨의 폐비 문제가 발단이 됨.
• 폐비 윤씨의 복권 운동 반대한 사림 세력과 윤씨 폐비 관여했던 훈구 세력 탄압당함.

중종 반정: 훈구 세력이 폭군인 연산군을 몰아내고 중종을 추대하며 권력 장악함.

㉧(　　)

3. ㉥(　　)사화
• 중종이 등용한 조광조의 개혁 정책에 훈구 세력이 모함하여 조광조 등 많은 사림 세력 처형당함.

명종

4. ㉦(　　)사화
• 세자 책봉, 왕위 계승 둘러싸고 외척 사이 벌어진 권력 다툼으로 사림 세력 희생당함.

사화 이후 사회의 변화

1. 네 번의 사화 이후 조선 사회의 변화를 이끈 서원과 향약에 대해 정리해 보자.

〈서원〉 • 유학자의 ㉠(　　), 지방 양반 자제 ㉡(　　), 사림의 사랑방이자 소통 공간 ⇒ 향촌 양반들에게 ㉢(　　　) 이념 보급 • 백운동 서원: 최초의 서원	사화로 타격받은 사림이 재기하는 발판이 됨.
〈향약〉 • 사림이 향촌에 ㉣(　　) 이념 전파 목적으로 만든 향촌 자치 규약 • ㉤(　　　), 중국 북송의 《여씨향약》 도입 배포함. • 이황, 이이 등이 우리 실정에 맞게 만들어 전국에 배포함. • 4대 덕목 등 지켜야 할 규칙 중심으로 철저한 성리학적 질서 따름.	

사림의 분당, 붕당 정치

1. 빈칸을 채우며 붕당의 계보와 차이점을 정리해 보자.

16세기 중반, 중앙 정계 장악한 ㉠(　　)이 이조 전랑을 뽑는 과정에서 둘로 나뉨.

㉡(　　)
- 김효원을 따르는 신진 사림
- 외척을 정치에서 배제하자 주장
- 영남 지방, 이황, 조식 학풍 계승

㉢(　　)
- 심의겸을 따르는 기성 사림
- 능력 있는 외척 포용 주장
- 경기와 충청 일대, 이이, 성혼 학풍 계승

㉡에서 나뉨:

㉣(　　)
- 온건파
- 이황의 학풍 계승

㉤(　　)
- 강경파
- 조식의 학풍 계승

㉢에서: 17세기 후반, 노론과 소론으로 분당됨.

한눈에 보기

그 당시 세계는?

15세기, 서유럽 상인들은 새로운 항로를 찾으러 바다로 나섰다. 1492년, 콜럼버스는 유럽 사람으로는 최초로 대서양을 가로질러 아메리카 대륙을 발견했다. 몇 년 후 바스쿠 다가마의 함대가 아프리카의 희망봉을 돌아 인도의 캘리컷까지 이어지는 신항로 개척에 성공했다. 이러한 신항로 개척은 유럽이 세계 역사를 주도하는 계기가 되었다.

1. 다음 글을 읽고 물음에 답해보자.

[가] "군주 된 자는, 특히 새롭게 군주의 자리에 오른 자는, 나라를 지키는 일에 곧이곧대로 미덕을 지키기는 어려움을 명심해야 한다. 나라를 지키려면 때로는 배신도 해야 하고, 때로는 잔인해져야 한다. 인간성을 포기해야 할 때도, 신앙심조차 잠시 잊어버려야 할 때도 있다. 그러므로 군주에게는 운명과 상황이 달라지면 그에 맞게 적절히 달라지는 임기응변이 필요하다. 할 수 있다면 착해져라. 하지만 필요할 때는 주저 없이 사악해져라. 군주에게 가장 중요한 일이 무엇인가? 나라를 지키고 번영시키는 일이다. 일단 그렇게만 하면, 그렇게 하기 위해 무슨 짓을 했든 칭송받게 되며, 위대한 군주로 추앙받게 된다."

– 마키아벨리 《군주론》, 까치 출판 발췌

[나] "하늘과 사람은 근본이 같기 때문에 하늘의 이치가 사람에게도 있기 마련이며, 군주와 백성은 하나이기 때문에 군주의 도(道)가 백성에게도 있기 마련입니다. 그래서 옛 성현들은 도(道)로써 백성들을 대하였습니다. 무릇 군주와 신하가 백성을 위하는 마음을 자신의 마음으로 삼을 때 비로소 정치의 도(道)는 이루어지게 됩니다. 그러기 위해서는 먼저 다스리는 사람이 유교적 가르침을 몸소 실천해야 합니다. 임금의 마음은 통치의 근본이 되며, 근본이 바르지 않으면 백성들에게 교화가 제대로 이뤄지지 못합니다. 정치의 핵심은 덕(德)을 닦는 것이니 임금 스스로 덕을 쌓으면 그 나머지는 수고로울 것 없이 스스로 다스려지는 것이옵니다."

– 조광조 《정암집》 중 필자 편집

1) [가]와 [나]는 나라를 통치하는 군주의 태도에 대해 말하고 있다. 각각의 주장을 한 문장으로 요약하고 어떻게 다른지 비교해 보자.

2) 위 글을 참고하여, 현대 사회를 이끌어 가는 통치자에게 필요한 태도는 무엇인지 자신의 생각을 논술하여 보자.

실력 키우기

01. 다음에서 설명하는 세력에 대한 설명으로 옳은 것을 〈보기〉에서 고른 것은?

> 세조가 왕위에 오르는 일을 도운 공신으로 권력을 독점하고 많은 토지와 노비를 소유했다.

보기

ㄱ. 한명회, 권람 등이 이에 속한다.
ㄴ. 중앙 집권 체제를 지향했다.
ㄷ. 향촌 자치, 왕도 정치를 추구했다.
ㄹ. 서원과 향약을 보급하는 데 앞장섰다.
ㅁ. 왕실과 혼인 관계를 맺으면서 권력을 강화하였다.
ㅂ. 주로 삼사에 진출하여 정치에 참여했다.

① ㄱ, ㄴ, ㅁ　② ㄴ, ㄷ, ㅂ　③ ㄹ, ㅁ, ㅂ　④ ㄱ, ㅁ, ㅂ　⑤ ㄷ, ㄹ, ㅂ

02. 다음 사화가 발생한 원인을 바르게 연결하고 발생한 순서에 따라 번호를 붙이시오.

사화	원인	순서
을사사화 •	• ㉠ 조광조의 급진적 개혁에 훈구 세력이 반발했다. •	• ①
기묘사화 •	• ㉡ 김종직의 〈조의제문〉을 빌미로 일어났다. •	• ②
갑자사화 •	• ㉢ 인종과 명종의 외척 세력의 다툼으로 일어났다. •	• ③
무오사화 •	• ㉣ 폐비 윤씨의 죽음에 관여한 사람들을 벌하였다. •	• ④

03. 아래와 같은 주장을 한 사람과 관련이 <u>없는</u> 것은?

> "나라에서 사람을 등용할 때 과거 시험에 합격한 사람을 중요하게 여깁니다. 그러나 매우 현명한 사람이 있다면 어찌 꼭 과거 시험에만 국한하여 등용할 수 있겠습니까. 한나라를 본받아 (A)를 실시하여 덕행 있는 사람을 천거하여 인재를 찾으십시오."

① 세조 즉위 때 부당하게 공신이 된 신하들의 위훈을 삭제했다.

② 북송의 《여씨향약》을 도입해 배포했다.

③ 도교 행사를 주관하는 관청인 소격서를 폐지하였다.

④ 추천을 통해 많은 사림이 관직에 오르게 했다.

⑤ 군주의 마음을 바르게 하기 위해 경연을 강화했다.

04. 다음 괄호 내용 중 적절한 것을 고르시오.

1) (삼사 / 이조 전랑)의 자리를 두고 붕당이 발생했다.

2) 기축옥사에 대해 강경한 복수를 다짐한 (남인 / 북인)은 (이황 / 조식)의 학풍을 이어받은 사람들이다.

3) 남인과 북인은 모두 (서인 / 동인)에서 분당한 세력으로 (기호학파 / 영남학파)에 속한다.

05. 아래 사진과 거리가 먼 설명은?

백운동 서원

① 본래 공자를 기리기 위한 사당으로 건립되었다.

② 명종으로부터 편액을 받은 최초의 서원이다.

③ 양반 자제들의 교육과 교류가 이뤄지던 곳이다.

④ 이황의 건의로 국가로부터 토지와 노비를 하사받았다.

⑤ 우리나라 최초의 서원으로 성리학을 최초로 도입한 안향을 기리는 곳이다.

Chapter 14

문화의 발달과 사회 변화

가장 독창적인 언어를 만들다

책을 읽기 전에

이번 장에서 읽고 기억해야 할 내용은 무엇일지 《한 번에 끝내는 중학 한국사》에서 안내하는 내용을 바탕으로 생각해 보자.

- 세종이 훈민정음을 창제한 까닭은 무엇인가요?
- 훈민정음으로 만들어진 대표적인 작품을 이야기해 보세요.
- 조선 전기에 편찬된 서적으로는 어떤 것이 있을까요?
- 조선 전기에 만들어진 과학 발명품에 대해 이야기해 보세요.

책을 읽으며

1. 문화의 발달과 사회 변화에 대한 내용을 읽으며 중요하다고 생각하는 부분에 밑줄 쳐 보자.

2. 부분별로 읽은 내용을 생각하며 빈칸을 채워 보자.

세종은 왜 세자에게 섭정을 맡겼을까?: 훈민정음 창제

1) (　　　　)은 전 세계 과학자들로부터 가장 과학적인 문자로 평가받았으며, 대부분의 문자와 달리 문자를 만든 인물이 밝혀져 있다.

2) 세종 시절 이전까지 백성들은 자신의 생각을 표현할 적절한 문자가 없었다. (　　　　)는 배우기가 어려워 양반 사대부들만 썼고, (　　　　)는 한자를 빌려 우리말로 표기한 문자지만 일반 백성들이 배우기 쉽지 않았다.

3) 세종은 십여 년간 (   )을 만드는 일에 몰두했다. 시간을 확보하기 위해 (   )가 중심이 되어 국정을 수행하도록 했고, 비교적 덜 중요한 국정은 (   )에게 넘겼다.

4) 훈민정음은 세상의 모든 (   )를 표현할 수 있는 문자였다. 하지만 (   )들의 반발이 적지 않았다. 이에 세종은 상소를 올린 대신들을 의금부에 가두었고, 그 중 일부는 관직을 박탈했다.

5) 세종은 3년의 보완 작업을 거쳐 훈민정음을 (   )했고 실생활에 널리 쓰이도록 독려했다. 조선의 건국이 이루어지는 과정과 역대 왕들의 공적을 노래한 서사시 〈(   )〉는 훈민정음으로 쓴 최초의 작품이었다.

6) 훈민정음을 반포한 후에는 부처의 공적을 노래한 〈(   )〉을 비롯한 여러 서적을 편찬했으며, 왕이 내리는 교서나 죄수의 판결문도 훈민정음으로 쓰도록 했다.

🄱 실록을 만든 후 사초를 폐기한 까닭은?: 다양한 서적의 편찬

1) 조선 시대에는 왕이 사망하면 그 다음 왕이 (   )을 설치해 선대 국왕의 실록을 만들었다. 태조부터 철종까지 25대 왕, 472년의 역사를 담은 실록들이 모여 (   )이 되었다.

2) 실록이 파손되거나 분실되는 것을 막기 위해 전국의 여러 (   )에 분산 보관했다. 《조선왕조실록》은 오늘날까지 전해지며, (   ) 세계 기록 유산으로 지정될 정도로 귀중한 문화유산이다.

3) 실록을 만드는 데 가장 중요한 자료는 (   )였다. 사관은 왕이 참석하는 모든 행사에 동행해 사실을 있는 그대로 기록했다. 실록을 공정하게 만들기 위해 왕은 사초를 볼 수 없었다.

4) 《조선왕조실록》 외에도 고려 역사를 정리한 《고려사》와 《고려사절요》를 편찬했다. 또한 성종 시절 편찬된 《동국통감》은 (　　　　　　)부터 (　　　　) 말까지 역사를 다루고 있다.

5) 백성들에게 (　　　　) 예법을 가르치기 위해 제작된 책도 많았다. 세종 때 편찬된 《(　　　　　　　　　)》, 국가 행사 때 필요한 유교 의례를 정리한 《오례의주상정》, 성종 때 종묘와 사직에 대한 제사, 세자 책봉 등 국가의 주요한 행사를 다섯 분야로 나누어 정리한 《국조오례의》가 있다.

6) 조선 전기에 중앙 집권 체제와 (　　　　　　)을 강화하기 위해 만든 지리서도 있었다. 세종 때 전국 각 고을의 풍습과 지리 등을 기록한 《팔도지리지》를 편찬했고, 성종 때는 《(　　　　　　　　　　　)》을 편찬했다.

7) 원본이 남아 있지는 않지만 15세기 초 전국 지도인 〈팔도도〉가 만들어졌다. 태종 때는 동양에 있는 세계 지도 중에 가장 오래된 〈(　　　　　　　　　　　　)〉를 제작했다. 이 지도에는 아프리카와 유럽 대륙까지 모두 표현되어 있었다.

8) 조선은 (　　　　)을 가장 중요한 산업으로 여겼다. 농업 생산량을 늘리기 위해 세종은 측우기를 비롯한 많은 과학 발명품을 만들었다. 또한 우리 현실에 맞는 농법을 기록한 (　　　　　　　)을 편찬토록 해 농사에 도움을 주었다.

9) 태종 때 활자를 담당하는 관청인 (　　　　　　)를 설치해 계미자라는 금속 활자를 만들었고, 세종 때는 이 활자를 발전시켜 (　　　　　)를 만들었다.

Ⓑ 세종은 왜 《칠정산》을 만들라고 했을까?: 조선 전기의 과학 발전

1) 조선 전기는 (　　　　　　)을 바탕으로 한 여러 과학 기술이 발달해 왕실의 권위가 높아졌고 백성의 삶도 개선되었다.

2) 천문학은 '하늘의 뜻'을 소중히 여기는 (   )에게는 매우 중요한 학문 중 하나였고, 농사를 짓는 데에도 절대적으로 필요한 정보였다.

3) 천문학의 기본은 (   )를 관측하는 것이었다. 태조 때 (   ) 고분에 있는 별자리를 연구해 〈천상열차분야지도〉를 만들었다.

4) 세종 때는 천체를 관측하기 위한 간의와 (   )를 만들었고, 역법을 적용해 한양을 기준으로 하는 (   )을 만들도록 했다.

5) 세종 때 노비 출신 과학자 (   )의 주도로 시간과 기상을 관측하기 위한 발명품이 잇달아 나왔다.

6) 해가 뜨면 그림자를 이용해 시각을 측정한 해시계인 (   ), 정해진 시각이 되면 물이 흘러 스스로 소리를 내는 물시계인 (   ), 비가 내리면 원통형의 그릇에 담겨 강우량을 측정할 수 있는 (   ), 하천의 물이 많아지면 수위가 얼마나 높아졌는지를 계산하는 수표가 만들어졌다.

7) 의학 분야에서는 우리 땅에서 난 약재로 병을 고칠 수 있도록 (   )을 편찬토록 했다. 또 이와 별도로 중국 의학 서적인 《의방유취》를 펴내기도 했다.

8) 세종은 (   )과 (   )를 격퇴해 영토를 넓혔는데, 이때 첨단 화학 무기 (   )을 사용했다.

日 세종 시기를 조선의 르네상스라 부르는 까닭: 조선 전기 양반 문화의 발전

1) 조선 전기는 주로 (   ) 양반들이 중심이 되어 예술을 발전시켰다.

2) 문학 분야에서는 생육신 중 한 명인 김시습이 쓴 《(   )》가 국내 최초 한문 소설이었다. 서거정은 삼국 시대부터 조선 초기까지의 시, 산문을 수집해 《동문선》을 펴냈다. 정철의 《관동별곡》은 한글로 지어진 작품이었다.

3) 조선 전기에는 ( ) 화가들과 사대부 양반들이 많은 미술 작품을 남겼다. 대표적인 그림으로는 ( )의 〈몽유도원도〉, 강희안의 〈고사관수도〉가 꼽힌다.

4) 16세기 이후 성리학이 그림에서도 나타나 강직함을 강조한 ( ) 그림이 유행했다.

5) 도자기 공예 분야에서는 자기에 흰색의 흙을 분처럼 칠해 소박한 맛을 느끼게 하는 ( )를 많이 사용했으며, 16세기 이후로는 깨끗한 흰색의 ( )가 널리 유행했다.

6) 음악 분야에서는 당시 궁중 음악인 중국의 아악을 우리 음악인 ( )으로 바꾸고, 우리 악기를 개발하도록 했다. 그 결과, 향악을 활용한 ( )이 완성되었다. 세종 때는 음악적 성과를 집대성해 《악학궤범》을 편찬했다.

3. 다음 설명에 해당하는 용어를 써보자.

(답) 일부 지배층만 사용하던 중국의 한자를 백성들도 널리 사용하도록 세종 때 만들어진 글자로 민족 문화발전에 바탕이 되었다. ______________

(답) 조선의 역대 왕들의 역사를 날짜순으로 기록한 방대한 역사책으로, 유네스코 세계 기록 유산으로 등재되었다. ______________

(답) 세종 때 편찬된 농사책으로 조선의 실정에 맞는 농사법을 정리하여 편찬, 보급하였다. ______________

(답) 세종 때 만들어진 금속 활자로, 태종 때 만들어진 구리 활자인 계미자를 개량한 것이다. ______________

14장 내용을 한눈에 정리해 보자.

세종이 이끈 조선 전기 문화

1. 빈칸을 채우며 세종의 업적을 정리해 보자.

세종의 업적

1. ㉠(   ) 창제
- 배경: 한자와 이두가 있으나 배우기 어려움.
- 목적: ㉡(   )들이 생각을 표현할 문자를 만듦. 조선 통치 이념 가르치기 위함.
- 반포: 세종이 십여 년간 연구 끝에 만들어 반포함(1446년).
- 작품: 〈용비어천가〉, 〈월인천강지곡〉 등

2. 서적 편찬
- 《고려사》: 고려 역사
- 《고려사절요》: 《고려사》 내용 요약
- 《㉢(   )》: 유교 윤리 가르침.
- 《오례의주상정》: 국가 행사에 필요한 유교 의례 정리
- 《팔도지리지》: 고을의 풍습과 지리 기록
- 《㉣(   )》: 농업에 도움 주는 서적

3. 과학, 기술 발전
- ㉤(   ): 계미자 발전시킨 활자
- 《칠정산》: 천체 연구(역법)
- 측우기: 강우량 측정
- 앙부일구: 해시계
- 자격루: 물시계
- 수표: 하천 수위 측정
- 《향약집성방》, 《의방유취》: 의학 서적
- 신기전: 화약 장착한 화살 연속 발사 기구

2. 빈칸을 채우며 세종 시기의 문화를 이어받아 발전한 조선 전기 문화를 분야별로 정리해 보자.

조선 전기의 문화:
유교 윤리의 보급,
양반 중심 문화

1. 역사서 편찬

- 《㉠(   )》: 조선의 통치 기록을 집대성하기 위해 태조부터 철종까지 기록한 국왕의 실록
- 《㉡(   )》: 세조의 명으로 서거정 등이 편찬. 성종 때 완성, 고조선부터 고려 말까지의 역사

2. 서적, 지도 편찬

- 《국조오례의》: 종묘와 사직에 대한 제사 등 국가 주요 행사 분야별 정리
- 《동국여지승람》: 《팔도지리지》를 바탕으로 펴낸 지리서
- 〈㉢(   )〉: 태종 때 만든 세계 지도
- 〈㉣(   )〉: 태조 때 고구려 고분에 있는 별자리 연구해 펴낸 천문 지도

3. 예술 발전

- 문학: 김시습의 《㉤(   )》, 정철의 《관동별곡》, 서거정의 《동문선》 펴냄.
- 미술: 안견의 〈㉥(   )〉, 강희안의 〈고사관수도〉, 사군자 그림 유행, 분청사기, 백자 유행
- 건축: 성문, 학교, 궁궐 같은 대형 건축물 많이 지음. 전국적으로 서원 지어짐.
- 음악: 박연의 ㉦(   ) 완성

1. 다음 글을 읽고 물음에 답해 보자.

오늘날 우리에게 천문학은 우주의 천체를 관찰하고 여러 현상을 규명하는 학문이다. 그러나 근대 과학 개념이 자리잡기 이전 동아시아에서의 천문학은 하늘의 뜻은 제왕만이 살필 수 있고 그 하늘의 뜻에 따라 백성들을 다스리는 것으로 생각했다.

한대(漢代)의 동중서는 인간과 하늘은 음양의 기(氣)를 통해 연결되어 있고 서로 감응한다는 재이(災異)론을 주장했다. 그에 따르면, 군주가 실정(失政)을 저지르면 하늘이 가뭄과 홍수, 일식과 월식 등 재이를 통해 경고를 내린다. 이때 재이는 군주권이 하늘로부터 비롯된 것임을 입증하는 것이자 군주의 실정에 대한 경고였다.

이렇게 재이론은 군주가 천체현상을 살펴볼 당위와 의무를 제공했다. 하늘의 뜻을 읽고 땅의 지리를 살피는 것은 군주에게 매우 중요한 일이었다.

– 2022학년도 6월 평가원 문제 편집

1) 근대 이전의 사람들은 우주 현상을 어떻게 받아들였는지 설명해 보자.

2) 조선 초기 천문학이 발달한 이유를 '<u>조선 건국의 정당성</u>'과 연결하여 짐작해 보자.

실력 키우기

01. 다음 중 세종대왕 시기의 일로 볼 수 없는 것은?

① 한양을 기준으로 한 역법서인 《칠정산》을 펴냈다.

② 기존의 금속 활자를 계량해 갑인자를 만들었다.

③ 백성들이 유교 윤리를 쉽게 이해할 수 있도록 《삼강행실도》를 만들었다.

④ 화통도감을 설치해 화포와 화차 등 화약 무기를 개발했다.

⑤ 고려시대의 정치와 경제, 사회, 문화를 정리한 《고려사》를 편찬했다.

02. 아래에서 설명하는 지도의 이름을 쓰시오.

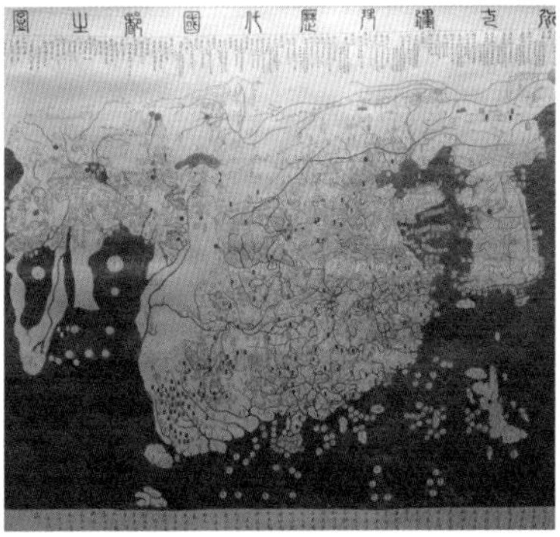

태종 때 만들어진 것으로 동양에 있는 세계 지도 중 가장 오래된 것이다. 조선이 상대적으로 크게 그려졌지만 당시로서는 가장 훌륭한 세계 지도였다.

실력 키우기

03. 조선 전기 문화에 대한 설명으로 옳지 않은 것은?

① 민생 안정에 도움이 되는 과학 기술이 발달했다.

② 음악은 실질적인 생활에 도움이 되지 않아 관심을 가지지 않았다.

③ 우리 땅에서 나는 약초들을 연구해 책으로 펴냈다.

④ 선비 정신을 반영하여 사군자를 소재로 한 그림이 유행했다.

⑤ 초기에는 분청사기가 발달했고, 16세기 이후에는 백자가 유행했다.

04. 다음의 서적들을 편찬한 목적으로 가장 적절한 것은?

•《동국여지승람》	•《세종실록지리지》	•《팔도지리지》

① 농사 기술 발전

② 통치를 위한 지리 지식 확보

③ 유교적 예법 교육

④ 조선 건국 정당성 강조

⑤ 통치 규범 마련

Chapter 15

왜란 · 호란의 발발과 영향

전쟁의 시대, 어떻게 이겨 냈을까?

책을 읽기 전에

다음 소제목들을 바탕으로 15장에서 읽게 될 사건들을 예측해 보자.

- 일본은 왜 정명가도를 요구했을까?: 임진왜란의 발발과 전개
- 일본이 정유재란을 일으킨 까닭은?: 조선의 반격과 왜란의 종결
- 광해군은 왜 대동법을 실시했을까?: 임진왜란의 영향과 조선의 변화
- 광해군이 '중립 외교'를 편 까닭은?: 병자호란의 발발
- 조선의 조총 부대가 러시아를 이긴 전투가 무엇일까?: 북벌의 추진과 결과

책을 읽으며

1. 임진왜란과 병자호란에 대한 내용을 읽으며 중요하다고 생각하는 부분에 밑줄 쳐 보자.

2. 부분별로 읽은 내용을 생각하며 빈칸을 채워 보자.

일본은 왜 정명가도를 요구했을까?: 임진왜란의 발발과 전개

1) 조선은 건국 이후 큰 (   )이 없어 16세기 이후 조세 제도와 군역 제도가 어긋나는 등 (   )이 약해졌다.

2) 도요토미 히데요시가 (   )시대를 끝내고 일본을 통일한 후, 일본 내 불만을 잠재우고 자신의 정복 욕구를 채우기 위해 (   )을 일으켰다.

3) 한반도에 상륙한 왜군은 (   )을 함락하고 동래까지 단숨에 점령했다.

4) 전쟁이 터지고 20일도 되지 않아 (   )이 위태로워졌고, 선조는 (   )으로 피란을 떠났다.

5) 한양이 함락한 후 왜군은 다시 북상했고 개성에 있던 선조는 (   )으로 달아났다. 왜군이 평안도와 함경도까지 북상하자 선조는 한반도의 북단인 (   )로 피란을 떠났다.

6) 임진왜란을 대비할 시간은 충분히 있었지만, 당시 정치인들이 지나치게 안일했거나 (   ) 간의 갈등 때문에 대비하지 못했다. (   )은 일본이 수상하다고 보고했지만 (   )은 침략의 조짐이 보이지 않는다고 보고했다.

7) (   )가 혹시 모를 전쟁에 대비해 (   )를 양성하자고 주장했지만 받아들여지지 않았다.

⑮ 일본이 정유재란을 일으킨 까닭은?: 조선의 반격과 왜란의 종결

1) 임진왜란 당시 조선 관군은 육지에서 모든 싸움에 패했지만, 바다에서는 (   )이 왜군을 잇달아 격파하고 있었다.

2) (   )의 지휘하에 조선 수군은 (   )에서 첫 승리를 거두었다. 또한 한산도 해전에서 학이 날개를 펼친 모양새인 (   ) 전법을 구사해 대승을 거두고 왜군의 기세를 꺾었다.

3) 조선 수군의 승리로 왜군이 한반도 남서 해안에 상륙하지 못하게 함으로써 전라도와 충청도의 (   ) 지대를 지켰고, 왜군의 군수 물자와 식량 보급을 (   )했다.

4) 수군에 이어 지방의 사림, 전직 관리, 승려, 농민 등 민간에서도 자발적으로 (   )을 조직해 왜군과의 전투를 개시했다.

5) (　　)에서도 지원군을 파견해 조·명 연합군이 왜군을 공격해 (　　　　)을 되찾자 왜군이 후퇴하기 시작했다.

6) 왜군이 후퇴하면서 전세가 역전되어 조선의 육군 김시민은 (　　　　)에서 권율은 (　　　　　　)에서 백성들과 힘을 합쳐 왜군을 대파했다.

7) 전세가 불리해진 일본이 먼저 (　　　　)을 제의했지만 강화 회의에서 무리한 요구를 해 협상은 결렬되었다. 결국 일본이 다시 조선을 침략하는 (　　　　　　)이 일어났다.

8) 이순신이 보유한 조선 수군의 배는 12척에 불과했지만 물길이 좁고 물살이 빠른 지리적 특성을 잘 이용해 왜선 31척을 몰아내 대승을 거두었다. 이 전투가 (　　) 대첩이다.

9) 도요토미 히데요시가 죽자, 왜군은 철수하기 시작했다. 이순신이 이끈 수군이 (　　　) 해전에서 왜선 200여 척을 격퇴했다.

10) 조선 수군은 거의 모든 전투에서 왜군을 격파했다. 조선은 (　　　　)를 쏘았고 근접 전투를 벌일 때는 돌격선인 (　　　　　)이 치고 나갔다. 반면 일본은 (　　　)을 주로 쏘았고, 배를 가까이 댄 뒤 상대방의 배에 뛰어올라 싸우는 전술을 펼쳤다.

11) 조선의 (　　　　　)은 갑판이 2층 구조로 일본의 함선보다 커서 왜군이 조선의 함선 위로 뛰어오르기가 쉽지 않았다. 또한 얕은 물에서도 재빨리 회전할 수 있고, 여러 전술을 구사할 수 있는 장점이 있었다.

B 광해군은 왜 대동법을 실시했을까?: 임진왜란의 영향과 조선의 변화

1) 임진왜란은 (　　　) 동안 계속되었고 이후 조선은 물론 일본, 중국 등 동아시아 전체가 큰 변화를 맞았다.

2) 일본은 도쿠가와 이에야스가 권력을 장악한 후 (　　　　)에 막부를 세웠다.

3) 임진왜란 이후 조선과 일본의 냉랭한 관계 속에 에도 막부가 조선에 교류를 재개하자고 요청했다. 조선은 승려 (　　　　)을 보내 협상했고, 일본이 조선인 (　　　　)를 송환하는 데 동의하면서 두 나라 국교는 회복되었다.

4) 2년 후 (　　　　　　　)을 체결하고 이 조약에 따라 조선은 동래에 (　　　　)을 설치했다. 부분적으로 일본과의 무역도 허용했다.

5) 임진왜란 때 조선에 군대를 파견했던 (　　)은 국방비로 많은 돈을 지출해 휘청거렸다. 그사이 만주 지역에서 (　　　　　)이 빠르게 세력을 키웠다. 얼마 후 누르하치는 여진 전체를 통일한 뒤 (　　　　)을 세웠다.

6) 후금은 후에 나라 이름을 (　　)으로 바꾸고 명을 멸망시킨 뒤 중국의 주인이 되었다.

7) 임진왜란으로 한반도는 농사를 짓는 땅의 (　　)% 정도 황무지가 되었고, 인명 피해도 컸다. 또한 (　　　　　)나 실록을 보관하는 사고가 불에 탔고, 수많은 도자기나 서적, 그림 등이 (　　　　)으로 유출되었다.

8) 전쟁으로 세금도 덜 걷히고 국가 재정이 바닥난 상태에서 선조는 세상을 떠났고 (　　　　　)이 왕에 올라 개혁을 시작했다.

9) 광해군은 특산물로 세금을 내는 (　　　　) 제도를 개혁했다. 농민의 고통을 줄이고 관리의 부정부패를 막기 위해 특산물을 쌀이나 옷감, 동전으로 내도록 했고, 토지가 없는 가난한 농민은 공납을 면제해 주는 (　　　　　)을 실시했다.

10) 대동법을 실시하면서 (　　　　)이 전국에서 특산물을 사서 정부에 납품했다. 이들의 활발하게 활동하면서 조선의 상업이 발달하기 시작했다.

11) 광해군은 전쟁으로 토지가 황폐해지자 전국의 토지를 측량하는 (　　　) 사업을 벌였고, 이를 바탕으로 토지 대장을 정리했다.

12) 광해군은 (　　　)에게 백성에게 도움이 될 수 있는 의학서를 만들도록 지시했고, 이전까지 편찬된 국내 의학서와 중국 의학서를 집대성한 《(　　　　　)》이 탄생했다.

13) 임진왜란 무렵부터 (　　) 질서가 흔들리기 시작했다. 전쟁 중에 천민이 (　　　)를 불태우기도 했고, 왜군을 격퇴한 보상으로 신분이 상승한 천민도 있었다.

B 광해군이 '중립 외교'를 편 까닭은?: 병자호란의 발발

1) (　　　　)은 (　　　)에 대비하기 위해 성곽과 무기를 점검하고 군사 훈련을 강화했다.

2) 임진왜란 당시 가장 세력이 강했던 붕당은 (　　　)이었고, 반면 의병장인 정인홍, 곽재우 등은 모두 (　　　)이었다. 광해군을 지지했던 북인은 광해군이 왕이 된 후 집권 여당 역할을 했다.

3) 광해군은 후궁이 낳은 왕자였는데, 뒤늦게 선조의 왕후가 영창 대군을 낳으면서 (　　　)은 성리학적 질서에 따라 영창 대군으로 세자를 바꿔야 한다고 주장했다.

4) 광해군은 궁궐을 짓는다며 백성을 강제 동원했고, (　　　　　　)을 죽이고 인목 대비는 폐위시켰다. 서인은 광해군이 인륜을 저버렸다며 (　　　) 이념에 어긋난 왕이라 비판했다.

5) (   )은 중국 대륙을 차지하기 위해 (   )과 전쟁을 벌일 준비를 했고, 다급해진 명이 조선에 지원을 요청했다. 이에 광해군은 (   )를 선택했다.

6) 광해군의 중립 외교가 성과를 얻었지만, (   )의 반발이 커졌다. 이들은 실리와 국익보다는 명에 대한 의리와 (   )적 명분을 더 중요하게 생각했다.

7) 서인은 광해군을 왕으로 인정할 수 없다며 인조를 왕으로 추대하는 (   )을 일으켰다.

8) 집권 여당이 된 서인은 광해군을 지지했던 (   )을 처단하고, 명을 가까이하고 후금을 멀리하는 (   ) 정책을 펼쳤다.

9) 서인은 후금의 반격에 대비해 임진왜란 때 설치한 (   )에 이어 (   ), 총융청, 수어청을 추가로 설치했다.

10) 인조반정의 공신 중 한 명인 (   )이 반란을 일으켰고 인조는 충남 (   )까지 피신해야 했다.

11) 이괄의 난은 진압되었지만 혼란스러운 틈을 타 (   )이 조선을 침략하는 (   )이 일어났다.

12) 조선 조정은 (   )로 피신했고 정봉수, 이립 등의 의병이 후금에 맞섰지만 버틸 수 없었다. 결국 후금과 (   )을 해야 한다는 (   ) 최명길의 주장대로 후금과 조선은 형제 관계를 맺었고, 후금은 군대를 철수했다.

13) 후금은 나라 이름을 (   )으로 바꾸고 조선에 (   ) 관계를 요구했다. 이에 청과 맞서 싸우자는 (   )의 목소리가 높아졌고, 조선이 청의 요구를 거절하자 청이 다시 조선을 침략하는 (   )이 일어났다.

14) 청의 기병대는 빠른 속도로 (   )으로 진격했고 일주일 만에 한성이 함락되었다. 조선 조정은 강화도로 피신하려 했지만 청의 기병대에 막혀 (   )으로 피신했다.

15) 의병 부대까지 남한산성으로 달려왔지만 청군을 이길 수 없었고, 비축해 둔 식량도 바닥나자 인조는 (   )의 의견에 따라 남한산성을 나와 (   )에서 청 태종에게 항복했다.

조선의 조총 부대가 러시아를 이긴 전투가 무엇일까?: 북벌의 추진과 결과

1) 병자호란 이후 (   )의 내정 간섭이 심해졌다. 청은 소현 세자와 봉림 대군, 척화파 대신들과 수많은 백성을 인질로 끌고 갔다. 또한 조선은 매년 청에 많은 (   )을 바쳐야 했다.

2) 8년 후 조선으로 돌아온 (   )는 청에서 살면서 익혔던 서양의 첨단 문물을 조선에 도입하는 방안을 찾고자 했으나 갑자기 죽고, 봉림 대군이 인조의 뒤를 이은 (   )이 되었다.

3) 효종은 청을 정벌해 삼전도의 치욕을 씻겠다는 결심으로 송시열을 비롯하여 청과 싸워야 한다는 (   )를 요직에 앉혔다.

4) 효종은 인조가 (   )을 염두에 두고 설치했던 (   )을 확대했고, 수비 목적의 수어청도 강화했다. 또한 성곽도 정비했고, 청과의 전투를 치르기 위해 기병을 늘려 조총 부대를 만들었다.

5) 동아시아 최고 강국인 (   )을 정벌한다는 것은 불가능한 일이었고 전쟁 후유증을 극복하지 못한 백성들에게 또 다른 짐이었던 북벌은 (   )의 갑작스러운 죽음으로 차츰 잦아들었다.

6) 조선이 북벌을 준비하는 과정에서 (   )가 강해졌다. 17세기 중반에 벌어진 (   ) 정벌에서 청이 (   )와 충돌하면서 조선에 지원을 요청했고, 효종이 보내 준 조총 부대는 두 차례 전투에서 모두 러시아를 꺾고 승리했다.

3. 다음 두 가지 질문에 답해 보자.

(目) 임진왜란 당시 조선 수군이 승리할 수 있었던 배경(비결)은 무엇인지 설명해 보자.

(目) 병자호란 때 또는 청이 조선을 침략했을 때 조선 조정에서 대립했던 두 가지 주장은 무엇인지, 어떤 차이가 있었는지 생각해 보자.

한눈에 보기

15장 내용을 한눈에 정리해 보자.

일본과의 전쟁, 임진왜란

1. 빈칸을 채우며 배경부터 결과, 영향까지 임진왜란에 대해 정리해 보자.

배경	• **일본:** ㉠(　　　　　　　)가 전국 시대를 끝내고 일본을 통일함. 반대 세력의 불만을 잠재울 방법이 필요한 상황 • **조선:** 건국 이후 전쟁이 없어 조세 제도와 군역 제도가 어긋나 ㉡(　　　)이 약해진 상황
과정	일본이 '㉢(　　　　)'를 요구하며 조선 침략함. → 일본이 부산 함락, 동래 점령함. → 상주, 충주에서 일본에 ㉣(　　)함. → 한양이 위태로워지자 선조는 개성으로 피란함. → 왜군의 북상에 따라 선조는 평양으로 피란해 제2의 ㉤(　　)을 만들고 ㉥(　　)까지 피란함.
	• **수군과 의병, 승병의 활약** – 수군: ㉦(　　　)의 지휘하에 한산도 대첩 등 잇달아 왜군 물리침. – 의병: 각 지역에서 의병이 결성되어 왜군과 전투함. – 승병: 유정, 휴정 등
	㉧(　)이 지원군 파견함. → 평양 되찾고, 일본은 후퇴 시작함. → 행주산성, 진주 등 왜군 대파함. → ㉨(　　)의 제의로 강화 회의 열렸으나 결렬됨. → 일본이 다시 조선을 침략함(정유재란). → ㉩(　　) 대첩 등 조선 수군 승리. 왜군 북상 못 함.
결과	• 도요토미 히데요시 사망 후 왜군 철수하며 ㉪( )년 만에 임진왜란 끝남(1598년).
영향	• 일본: 도쿠가와 이에야스가 권력을 장악하고 ㉫(　　)에 막부를 세움. 임진왜란 때 일본으로 끌려간 조선의 기술자들 덕분에 기술 발전함. • 명: 조선에 군대 파견으로 국력이 약화된 사이 누르하치가 여진 통일하고 ㉬(　　)을 세운 다음 세력을 키움. • 조선: 농토의 70% 황무지화, 인구 절반 줄어듦. 문화재 손실, 국가 재정 바닥남. ㉭(　　　)이 대동법, 양전 사업 등 개혁 정책 실시함.

2. 밑줄 친 부분을 바르게 고치며 광해군이 왕위에서 물러나게 된 과정을 정리해 보자.

의병장인 정인홍, 곽재우와 같은 ㉠남인의 지지를 받던 광해군이 왕이 된 후 북인이 집권 여당이 되었다. 광해군은 적자인 영창 대군을 앞세운 ㉡동인과 대립하다, 영창 대군을 죽이고 인목 대비는 폐위시켰다. 외교 분야에서도 ㉢사대 외교를 주장한 광해군과 의리와 성리학적 명분을 내세운 서인의 갈등은 더욱 커졌다. 결국 서인은 반란을 일으켜 ㉣정조를 왕으로 추대하는 인조반정을 일으켰다(1623년).

🅑 청나라와의 전쟁, 병자호란

1. 빈칸을 채우며 배경부터 결과까지 병자호란을 정리해 보자.

배경
- 권력 장악한 ㉠(　　)은 광해군을 지지했던 ㉡(　　)을 처단함.
- 명을 다시 가까이 하고 후금을 멀리하는 ㉢(　　　　) 정책을 폄.
- 이괄이 반란을 일으켜 인조가 공주까지 피신하게 됨.

과정

〈㉣(　　　　)〉
- 이괄의 난으로 혼란한 틈을 타 후금이 조선을 침략함.
- 조선 조정은 강화도로 피신함.
- 주화파 최명길의 주장대로 후금과 ㉤(　　) 관계를 맺는 화친 조약 맺고, 후금은 군대를 철수시킴.

〈㉥(　　　　)〉
- 청의 ㉦(　　) 관계 요구에 척화파의 주장에 따라 거절하자, 청이 다시 조선 침략함.
- 일주일 만에 한성이 함락되고, 조선 조정은 ㉧(　　　　)으로 피신함.
- 청에 항복하자는 주화파와 명과의 의리를 주장하는 척화파가 맞섬.

결과
- 인조가 ㉨(　　　) 의견에 따라 청 태종에게 항복함.

영향	
	• 청의 ㊁( ) 심해짐. – 세자, 세자빈 등 인질과 수많은 백성이 청에 끌려감. – 매년 많은 양의 조공을 바치게 됨. • 인조의 뒤를 이어 왕이 된 ㉠( )은 청 정벌을 결심하고 주전파를 요직에 앉히며 ㉢( ) 정책 시행함. → 효종 사망으로 북벌 정책 중단 • 북벌을 준비하는 과정에서 조선의 군대 강해짐.: 청의 지원군 요청에 조총 부대가 파견되어 러시아를 두 차례 꺾음(나선 정벌).

역사 논술

1. 아래 질문에 대한 답을 바탕으로, 왜란, 호란과 같은 비극을 반복하지 않기 위해 어떤 노력이 필요한지 자신의 생각을 정리해 보자.

실력 키우기

01. 임진왜란이 일어날 당시의 국내외 정세로 옳은 것은?

① 조선의 모든 문물이 정비되고 훈구파가 집권하여 안정되었다.

② 일본에서는 100년 이상 전국 시대가 지속하면서 무사들의 불만이 많았다.

③ 조선은 사화와 붕당으로 양반 사회가 분열되었다.

④ 조선의 이이는 군대를 양성할 것을 제안해 훈련도감을 설치했다.

⑤ 일본에 에도 막부가 들어서며 마지막 막부 체제가 시작되었다.

02. 조선의 조정이 지도와 같이 이동하는 동안 있었던 일로 보기 어려운 것은?

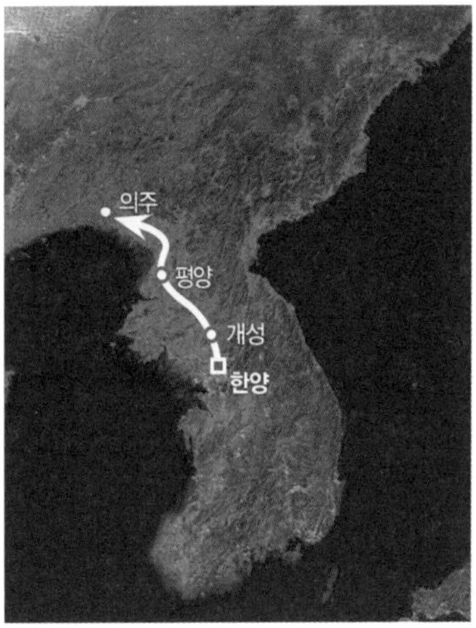

① 일본군은 20일도 되지 않아 한양을 점령했다.

② 선조는 세자를 책봉하여 분조를 만들어 유사시에 대비했다.

③ 조선은 명에 지원군을 요청하였다.

④ 승려, 농민, 전직 관리 등이 자발적으로 군대를 결성하였다.

⑤ 일본과 명 사이에 휴전을 위한 협상이 있었다.

실력 키우기

03. 다음 설명 중 임진왜란의 결과로 볼 수 없는 것은?

① 일본은 도자기 제조, 인쇄 기술, 성리학이 발달하게 되었다.

② 명이 약해진 틈을 타 여진족이 세력을 키워 후금으로 발전했다.

③ 명은 내부 분열과 너무 많은 국방비 지출로 나라가 휘청거렸다.

④ 조선과 일본 사이의 교류는 완전히 차단되었고 이후 재개되지 못했다.

⑤ 조선은 인명 피해, 문화재 손실과 함께 신분질서가 흔들리게 되었다.

04. 오른쪽 지도에서 설명하는 사건과 관계가 없는 것은?

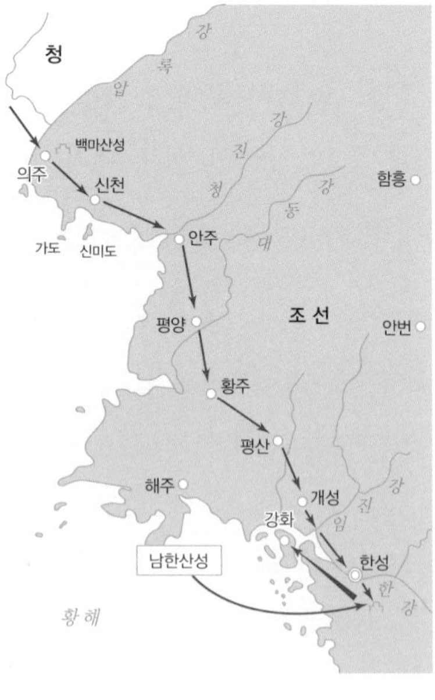

① 광해군은 강홍립을 보내 중립 외교를 펼쳐 나갔다.

② 청의 군신 관계 요구를 조선이 거부하면서 일어났다.

③ 남한산성에서 47일간 항전하였으나 결국 항복하고 말았다.

④ 주화파와 척화파가 대립하며 청에 대항했다.

⑤ 이 사건의 결과로 청에 대한 적대감이 고조되었다.

05. 다음 설명에서 ㉠ 사건이 일어난 시기를 연표에서 고르면?

(㉠)에 가담한 일부 무리가 후금으로 도망가 조선 왕의 정통성을 부정하는 주장을 했다. 침략의 기회를 엿보던 후금은 이를 구실로 조선을 침략했다.

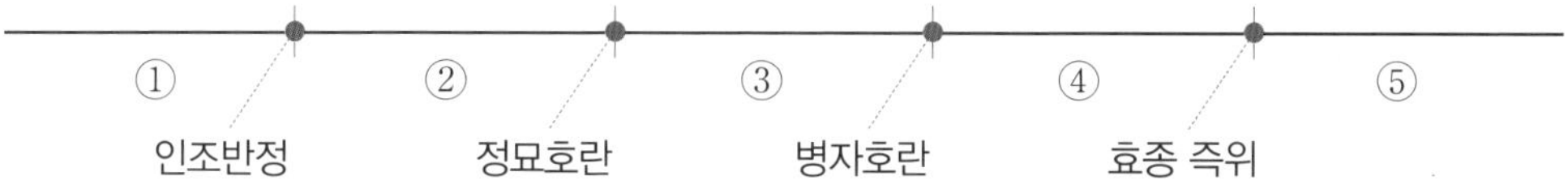

06. 다음과 같은 명령을 내렸을 법한 왕의 재위 기간 동안 있었던 일로 옳은 것만 고르면?

보기 1

"과인이 비록 장자가 아닌 몸으로 왕이 되었으나 내 아버지가 겪으셨던 삼전도의 수모를 단 하루도 잊은 적이 없소. 경들은 과인의 이러한 뜻을 잘 살펴 그 뜻을 실행하는 데 한 치의 소홀함도 있어서는 아니 될 것이오."

보기 2

ㄱ. 어영청, 수어청 강화
ㄴ. 조총 부대 창설
ㄷ. 청-러시아 전쟁에 파병
ㄹ. 정봉수, 이립 의병 봉기
ㅁ. 비변사 설치
ㅂ. 청과 국교 단절

① ㄱ, ㄷ, ㅁ
② ㄱ, ㅁ, ㅂ
③ ㄱ, ㄴ, ㄷ
④ ㄹ, ㅁ, ㅂ
⑤ ㄱ, ㄴ, ㄹ

조선 사회의 변동

: 조선에 변화의 바람이 불다

Part V

Chapter 16

조선 후기의 정치 변동

개혁에 성공해야 나라가 산다

책을 읽기 전에

다음 용어와 뜻을 연결하며 역사 관련 용어를 익혀 보자.

① 조세	•	• 국가 또는 지방 단체가 필요한 경비로 사용하기 위해 국민이나 주민에게 강제로 거두어들이는 금전
② 붕당	•	• 붕당 간 대립을 완화하기 위해 영조 때 실시한 정책
③ 환국	•	• 왕실의 장례 예법을 둘러싸고 벌어진 논쟁
④ 예송	•	• 조선 시대 정치 이념과 학문적 성향을 같이하는 사림의 집단
⑤ 탕평책	•	• 집권 세력이 급격하게 교체되는 상황

책을 읽으며

1. 조선 후기의 정치 변동에 대한 내용을 읽으며 중요하다고 생각하는 부분에 밑줄 쳐 보자.

2. 부분별로 읽은 내용을 생각하며 빈칸을 채워 보자.

병조가 국방 업무를 총괄하지 못한 까닭은?: 조세 제도와 통치 체제의 정비

1) 임진왜란과 병자호란 이후 조선은 농민이 가장 힘들어하는 (　　　) 제도부터 개혁했다. 토지 세금인 전세, 특산물을 내는 (　　　), 토목 공사나 국방 의무를 이행하는 (　　)이 새롭게 정비되었다.

2) 인조 때 새로운 전세 제도로 풍년, 흉년 가리지 않고 토지 1결당 쌀 4두를 내게 하는 (　　　　)이 시행되었다.

3) 공납은 광해군 때 쌀이나 옷감, 동전으로 내는 (　　　　)으로 바뀌었다. 평안도와 함경도는 배제되었고, (　　　) 때는 전국에서 시행되었다.

4) 영조는 군역의 의무를 1년에 1필로 줄이는 (　　　　)을 실시했다. 줄어든 군포 수입은 (　　　)에게 1결당 쌀 2두를 내게 하고, (　　　)로 들어가던 어장세, 선박세, 소금세를 국가 재정으로 변환하여 채웠다.

5) 조선 전기 최고 국정 기구는 (　　　　)였다. 군사에 관련된 업무는 6조의 하나인 (　　　)가 관할해 왔는데, 양란을 겪으면서 (　　　　)의 권력이 강해졌다.

6) 비변사는 (　　　　)과 왜구의 침략에 대비하기 위해 병조 안에 설치된 임시 군사 기구였지만, 양란 후 의정부를 대신하는 최고 권력 기구가 되어 (　　　) 문제나 왕비와 후궁을 정하는 왕실 문제까지 참견했다.

7) 조선 전기에 한성은 중앙군인 (　　　)가 방어했다. 하지만 임진왜란 때 제 역할을 못 하자 선조는 (　　　　　)을 만들었다.

8) 훈련도감은 조총을 다루는 포수 부대, 칼을 다루는 살수 부대, 활을 쏘는 사수 부대 등 (　　　　)으로 구성되었다. 인조 때 (　　　)의 공격에 대비하기 위해 어영청, 총융청, 수어청을 만들었고, 숙종 때 금위영을 신설했다. 이렇게 조선 후기의 (　　　　) 체제가 확립되었다.

9) 지방 군대는 (　　　　　)으로 양반부터 천민까지 모든 신분이 다 포함되어 있었다. 평상시에는 생업에 종사하다 (　　　)이 터지면 부대로 배치되었다.

🅑 상복 입는 기간이 중요한 이유가 뭘까?: 예송과 붕당 정치의 변질

1) 인조반정에 성공한 (　　　)이 집권 붕당이 되었다. 북인은 거의 자취를 감췄고, (　　　)은 살아남아 야당 역할을 했다.

2) 현종 시절 왕실의 장례 예법을 둘러싸고 서인과 남인 사이에 (　　　) 논쟁이 벌어졌다. 효종의 장례 중 인조의 계비인 자의 대비가 (　　　)을 입는 기간을 놓고 갈등을 벌인 것이다.

3) (　　　)은 유교적 명분을 강조한 (　　　　　) 예법에 따라 자의 대비가 (　　　) 동안 상복을 입어야 한다고 주장했다.

4) (　　　)은 왕에게 사대부와 똑같은 예법을 적용하면 안 된다며 자의 대비가 상복을 (　　　) 간 입어야 한다고 주장했다.

5) 15년 후, 현종의 어머니가 세상을 떠나고 2차 (　　　)이 벌어졌다. (　　　)은 사대부 예법에 따라 자의 대비가 9개월 동안 상복을 입어야 한다고 주장했다.

6) 남인은 효종이 사대부가 아니라 왕이라는 점을 강조해 왕후의 장례식이니 자의 대비가 (　)년 동안 상복을 입어야 한다고 주장했다. 현종은 2차 논쟁에서는 (　　)의 손을 들어주었다.

🅑 숙종은 왜 집권 붕당을 수시로 바꾸었을까?: 숙종의 환국 정치

1) 숙종은 광해군 때 시작된 대동법을 전국으로 확대했으며, (　　　　　　)를 유통시켜 조선의 화폐 경제가 발달하는 토대를 마련했다.

2) 숙종은 금위영을 설치하여 5군영을 완성했고, (　　　) 회복 운동을 벌였으며 전국에 있는 산성을 정비해 국방을 튼튼히 했다. 중국과 국경선을 확정해 (　　　　　)도 세웠다.

3) (　　　　　) 때 남인이 몰락했고, 남인을 몰아내는 과정에서 강경파 서인은 (　　　), 온건파 서인은 (　　　)으로 쪼개졌다.

4) (　　　　　)은 숙종이 장옥정의 꾐에 넘어가 인현 왕후를 쫓아내고, 남인에 속했던 장옥정을 왕후에 앉혀 (　　　)의 권력이 다시 살아난 사건이었다.

5) 장옥정과 가족들, 남인의 횡포가 심해지자 숙종이 인현 왕후를 궁궐로 불러들였다. 장옥정이 사약을 받으며 남인이 몰락하고 (　　　) 정권이 들어선 (　　　　)이 일어났다.

6) 숙종이 어느 한 붕당의 세력이 지나치게 강해지는 것을 막기 위해 수시로 (　　　)을 일으키며 붕당을 교체한 것은 (　　　) 강화를 위해서였다.

7) 세 번의 환국 결과, 서인이 권력을 장악했으나 서인이 분열한 (　　　)과 (　　　) 사이에 숙종의 후계자를 두고 갈등이 벌어졌다.

8) 숙종이 사망하고 소론의 주장대로 세자가 왕위에 올라 (　　　)이 되었으나 몸이 약해 얼마 지나지 않아 세상을 떠났고 (　　　)가 뒤를 이었다.

(B) 영조가 금주령을 내린 이유는?: 영조의 탕평 개혁

1) 심각한 붕당 정치의 폐단을 개혁하기 위해 영조는 강경파 (　　　)과 소론을 관직에서 배제했다.

2) 영조는 (　　　) 이름으로 편 가르기를 금지했고, 붕당 세력을 키우는 몇몇 서원은 문을 닫게 했다. 관리 인사를 담당하는 (　　　　　)의 권한을 줄였다.

3) 영조는 (   )을 통해 붕당이나 당파를 따지지 말고 탕평하게 관리를 뽑으라고 지시했다.

4) 탕평 개혁이 진행되고 있을 무렵, 소론 과격파 (   )가 반란을 일으켰으나 영조는 소론을 탄압하지 않고 양쪽 모두에게 골고루 기회를 주었다.

5) 탕평 교서를 내리고 15년 후 영조는 성균관 앞에 (   )를 세웠다. 탕평책 덕분에 왕권이 강화되었다.

6) 영조는 《경국대전》을 보완해 《(   )》을 완성했다. 군포를 2필에서 1필로 줄인 (   )도 실시했다.

7) 노론은 (   )가 왕에 오르면 권력을 빼앗길 수 있다고 생각하고 품행을 문제 삼아 영조에게 상소를 올렸다. 결국 영조는 사도 세자를 (   )에 가두었고 그는 8일 만에 죽고 말았다.

8) 영조는 조선 후기 백성을 위한 (   ) 정치를 시행한 왕이었다. 죄인의 (   )도 존중해 지나치게 가혹한 형벌을 가하지 못하도록 했으며, 백성의 억울함을 풀어 주기 위해 (   )를 다시 설치했다.

9) 영조는 (   )을 시행해 어머니가 양인이면 아버지가 노비라도 그 자식은 양인이 되도록 했으며, 자주 범람하는 (   )을 정리하는 준설 사업도 벌였다.

ⓑ 수원 화성을 건설한 까닭이 뭘까?: 정조의 정치 개혁

1) 영조의 뒤를 이어 왕위에 오른 인물은 사도 세자의 아들인 (   )였다.

2) 사도 세자의 죽음에 관련된 붕당은 (   )이었다. 사도 세자를 동정하지 않은 강경파는 (   ), 사도 세자의 죽음을 안타까워한 온건파는 (   )였다.

3) 정조도 영조에 이어 (   )을 펼쳤다. 붕당에 상관없이 (   )이 있다면 인재로 등용했다. 또한 외척이나 측근이라 하더라도 권력을 남용하면 (   )를 내렸다.

4) 정조는 젊고 유능한 인재들을 뽑아 (   )에서 학문과 연구에 몰두할 수 있게 했다. 이 젊은 학자들은 각종 개혁안을 만들었고, 정부 정책에 대해 자문했다.

5) (   )은 정조에게만 충성하는 친위 부대였다. (   )의 권력이 강한 상황에서 군대가 왕을 배신하는 사태에 대비해 만든 것이었다.

6) 정조는 개혁 정치로 탕평책을 강화하고, 소외되었던 (   ) 지방 출신 인재를 적극적으로 기용했다. (   )에 대한 차별을 철폐하고, 이들을 규장각에서 서적을 다루는 검서관으로 일하도록 했다.

7) 정조 이전에는 정부로부터 허가받은 상인들만 (   ) 상인이 되어 장사를 할 수 있었다. 나머지 상인들은 어지러운 상인들이라는 뜻의 (   )으로 불렸고, 상업 활동 자체가 금지되어 있었다.

8) 시전 상인들에게 난전의 상업 활동을 금지할 수 있는 (   )이라는 권리가 있었다. 정조는 이 권리를 폐지해 누구나 자유롭게 장사할 수 있도록 했다.

9) 정조 시절《경국대전》과《속대전》의 뒤를 이어 모든 법령을 통합한《(   )》을 만들었다. 조선의 외교 문서를 한데 모은《동문휘고》, 호조의 행정 사례를 모은《탁지지》도 편찬했다.

10) 정조는 아버지 사도 세자의 묘소를 수원으로 옮겨 (   )이라 이름 지었다. 수원을 계획도시로 만들기로 하고 (   )을 쌓았다.

11) 화성은 한양 도성처럼 궁성과 도시를 모두 갖춘 완벽한 (   ) 도시였다.

12) 정조 시절 조선은 문화 분야에서도 (   ) 문화가 융성하기 시작했고, 백성을 위한 학문인 (   )도 크게 번영했다.

⑮ 강화도 나무꾼이 왕이 된 이유는?: 세도 정치의 성립과 전개

1) 정조가 죽자 11세의 아들이 (   )에 올랐다. 이후 정치가 어수선해지고 왕권이 약해졌다.

2) 순조가 어려 대왕대비 정순 왕후가 대신 (   )을 했다. 노론 벽파로 정조와 사이가 좋지 않았던 정순 왕후가 왕을 능가하는 권력을 쥐게 되었다.

3) 정순 왕후는 (   ) 시절 추진하던 개혁을 모두 중단시켰고, 개혁을 주장하던 학자들은 쫓아내거나 귀양을 보냈다.

4) 순조는 15세 무렵부터 직접 나라를 통치하기 시작했다. 하지만 그 사이 외척의 세력이 커져 권력을 잡은 인물은 순조의 장인 (   )이었다. 이후 김조순의 가문인 (   )가 권력을 장악했다.

5) 외척 세력이 권력을 쥐고 정치를 뒤흔드는 것을 (   ) 정치라 하는데, 순조, 헌종, 철종 때까지 약 60년 동안 계속되었다. 안동 김씨, (   )가 번갈아 권력을 장악했다.

6) 세도 정치하에 (   )은 아주 약했다. 세도 정치의 폐해는 많았으며, 특히 (   )들의 부정부패가 극심했다.

7) 세도 가문은 국가 기관인 (   )를 비롯해 중앙과 지방의 중요한 관직을 모두 차지했다. 군사 기관인 (   )도 완전히 장악했다.

8) 세도가들은 돈을 받고 (   )을 팔아 재산을 불렸고, 거액을 주고 관직을 산 사람들은 백성을 가혹하게 수탈했다. 결국 (   ) 제도는 엉망진창이 되었고 이것이 (   ) 봉기의 원인이 되었다.

9) 순조는 안동 김씨를 견제하기 위해 아들인 효명 세자의 부인을 (   ) 가문에서 골랐다. 결국 두 외척 가문의 권력 투쟁이 심해졌다.

10) 몇 년 후 효명 세자가 갑자기 죽고 순조도 세상을 떠난 후 순조의 손자가 왕위에 올라 (   )이 되었다. 순조의 부인 순원 왕후가 수렴청정을 했다.

11) 헌종이 세상을 떠나자, 순원 왕후와 안동 김씨 가문은 왕의 친척이지만 정치를 전혀 모르는 이를 왕에 앉혔는데, 그 왕이 (   )이었다.

12) 철종 이후로도 두 외척 가문의 다툼은 끝나지 않았다. 철종이 후계자를 남기지 못하고 죽자 효명 세자의 아내인 신정 왕후는 풍양 조씨 가문의 재기를 꿈꾸었지만 (   )이 등장하며 세도 정치는 막을 내렸다.

3. 조선 후기 정치 상황에서 다음 사건이 어떤 역할을 했는지 생각해 보자.

답 예송 논쟁

답 탕평책

답 세도 정치

한눈에 보기

16장 내용을 한눈에 정리해 보자.

양란 후 조세 제도와 통치 체제의 정비

1. 빈칸을 채우며 임진왜란과 병자호란을 겪은 후 조선의 조세 제도와 통치 체제가 어떻게 변화되었는지 알아보자.

변경된 조세 제도

- **전세: ㉠(　　　)**
  - 인조 때 시행됨.
  - 풍년, 흉년 가리지 않고 토지 1결당 쌀 4두를 내게 하는 방식
- **공납: ㉡(　　　)**
  - 광해군 때 시작, 숙종 때 전국으로 확대됨.
  - 특산물 대신 쌀이나 옷감, 동전으로 내게 함.
- **군역: 균역법**
  - ㉢(　　　) 때 시행됨.
  - 군대에 가는 대신 내는 군포를 1년에 1필로 줄임.

→ 세금 계산도 편해지고, 백성의 부담도 줄어듦.

통치 조직

- ㉣(　　　) 권한 강화
  - 양란 후 의정부를 대신하는 최고 권력 기구가 됨.

군사 조직

- 중앙 군사 조직
  - ㉤(　　　) 체제 확립
  - 훈련도감, 어영청, 총융청, 수어청, 금위영
- 지방 군사 조직
  - ㉥(　　　): 양반, 상민, 천민 포함, 비정규군. 전쟁 터지면 부대로 배치

ⓑ 예송과 환국을 거치며 변질된 붕당 정치

1. 현종 재위 중 서인과 남인 사이에 벌어졌던 예송 논쟁을 정리해 보자.

<table>
<tr><td rowspan="3">1차 예송</td><td colspan="2">주제: 효종의 장례 기간 중 자의 대비가 상복 입는 기간을 논하다.</td></tr>
<tr><td>서인: 효종이 차남이므로 1년 동안만 상복을 입어야 한다.</td><td>남인: 효종이 차남이지만 왕이므로 3년간 상복을 입어야 한다.</td></tr>
<tr><td colspan="2">결론: 현종이 당시 집권 붕당인 ㉠(　　)의 주장에 따르기로 하다.</td></tr>
<tr><td rowspan="3">2차 예송</td><td colspan="2">주제: 효종의 왕후 장례 기간 중 자의 대비가 상복 입는 기간을 논하다.</td></tr>
<tr><td>서인: 효종의 왕후가 둘째 며느리이므로 9개월 동안 상복을 입어야 한다.</td><td>남인: 둘째 며느리이지만 왕후이므로 1년간 상복을 입어야 한다.</td></tr>
<tr><td colspan="2">결론: 현종이 ㉡(　　)의 주장에 따르기로 하다.</td></tr>
<tr><td colspan="3">예송 논쟁 결과: 서인과 남인 간 갈등이 커져 숙종 때 최고조에 이르다.</td></tr>
</table>

2. 숙종이 집권 당시 세 차례에 걸쳐 일으켰던 환국에 관해 알아보자.

환국의 목적: 왕권 강화, 어느 한 붕당의 세력이 지나치게 강해지는 것을 막기 위해

1차 환국: ㉠(　　)환국	2차 환국: ㉡(　　)환국	3차 환국: ㉢(　　)환국
• 서인의 음모로 남인 무너짐. ⇒ 남인의 몰락, 서인 집권	• 남인에 속하는 후궁 장옥정으로 인해 발생함. ⇒ 서인의 몰락, 남인 집권	• 장옥정 사약 받음. ⇒ 남인의 몰락, 서인 집권

환국의 결과:
- 붕당의 견제와 균형이 무너지고, 붕당 간 보복과 음모 이어짐.
- 남인은 정계에서 밀려나고, 서인의 노론과 소론 사이에 숙종의 후계자를 두고 갈등 생김.
  ⇒ 숙종이 ㉣(　　) 교서를 내렸지만 효과 없음.

영조와 정조의 조선 정치 개혁

1. '조선 후기의 르네상스'라 불렸던 영조와 정조 통치 시기, 두 왕의 업적을 정리해 보자.

영조	정조
• ㉠( ) 시행, 탕평비 건립 – 붕당, 당파 따지지 않고 관리 등용 – 소론 이인좌 반란 후 소론 탄압 안 함.	• 탕평책 강화 – 붕당 상관없이 능력에 따라 인재 등용 – 외척이나 측근도 권력 남용 시 징계함.
• 왕권 강화와 민본 정치 – 균역법 시행: 백성의 군역 부담 줄임. – ㉡( ) 부활: 백성의 억울함 풀어 주기 위함. – 노비종모법 시행 – 청계천 준설	• 왕권 강화와 민생 안정 정치 – ㉣( ) 설치: 정책 자문 기구 – 장용영 설치: 친위 부대 – 서얼 등용 – ㉤( ) 폐지: 상업 발전 – 수원 ㉥( ) 건설: 개혁 정치의 중심지로 만들고자 함.
• 《㉢( )》 편찬 – 《경국대전》 보완한 법전	• 《대전통편》 편찬 – 《경국대전》, 《속대전》 등 법령 통합

나라를 뒤흔든 세도 정치

1. 정조의 죽음 이후 조정을 지배했던 세도 정치에 대해 알아보자.

배경	㉠( ) 죽음 이후 나이 어린 순조가 즉위하자 대왕대비 정순 왕후가 ㉡( )하게 됨.
전개 과정	순조, 헌종, 철종에 이르는 60여 년간 안동 김씨, 풍양 조씨 등 ㉢( ) 가문이 권력 장악함. – 세도 가문이 비변사 등 중앙 · 지방 관직 차지, 5군영 장악함.
결과	왕권 약해짐. 관리들의 부정부패 심해짐. 탐관오리의 백성 수탈이 심해지며 세금 제도가 무너짐. ⇒ 농민 ㉣( )의 원인이 됨.

그 당시 세계는?

17세기 영국은 시민 혁명에 성공하며 입헌 군주제 국가를 탄생시켰다. 17세기 초반 영국 사람들이 건설한 식민지에서 시작한 미국은 전쟁을 통해 영국으로부터 독립하고, 1776년 독립을 선언, 세계 최초로 민주 공화국을 건국했다. 그 영향을 받아 자유주의와 민주주의 사상이 전 세계로 퍼져 나가며 프랑스에서는 프랑스 혁명이 일어났고, 라틴 아메리카 곳곳에서도 독립 혁명이 일어났다.

1. 아래 대화를 참고하여, 왕권을 강화하기 위해 숙종이 세 번의 환국을 이용한 것에 대한 자신의 생각을 정리해 보자.

경신환국(1680)		기사환국(1689)		갑술환국(1694)
- 허적이 왕의 유악(비를 막는 천막)을 사용한 사건 - 남인의 역모 수사 남인 축출 서인 집권	➡	- 후궁 장희빈의 아들을 원자로 삼음. - 인현왕후를 폐하여 궁궐에서 내쫓음. 남인 집권 서인 축출	➡	- 인현왕후를 복위하여 궁으로 들임. - 장희빈에게 사약을 내림. 남인 축출 서인 집권

에이~, 왕이 굳이 신하들을 저렇게 한꺼번에 실각시켜야 했을까?
의견이 옳으면 의견만 수용하는 거지, 그렇게 주장한 편 모두를 입각하게 하고 나머지는 내치다니, 그건 너무 지나친 것 같아.

왕은 한 사람이고, 신하들은 많고, 게다가 신하들이 붕당을 지어 상소를 올리고 주청을 드리니 왕에게 신하는 이미 개인이 아니었을 거야.
왕권의 지엄함을 보여 줄 수 있는 건 왕의 인사권이 아니었을까?

실력 키우기

01. 양란 이후 통치 제도의 변화에 대한 설명으로 옳지 않은 것은?

① 비변사의 기능이 확대되어 의정부와 6조의 기능이 축소되었다.

② 군사 기관을 정비하여 5군영에서 5위 체제로 운영해 나갔다.

③ 전세를 손보아 백성들의 세금 부담을 낮추었다.

④ 부족한 재정을 채우기 위해 양반도 세금을 부담하게 했다.

⑤ 양반들도 포함한 속오군이 편성되었다.

02. 아래와 같이 정착한 조세 제도에 대한 설명으로 옳은 것은?

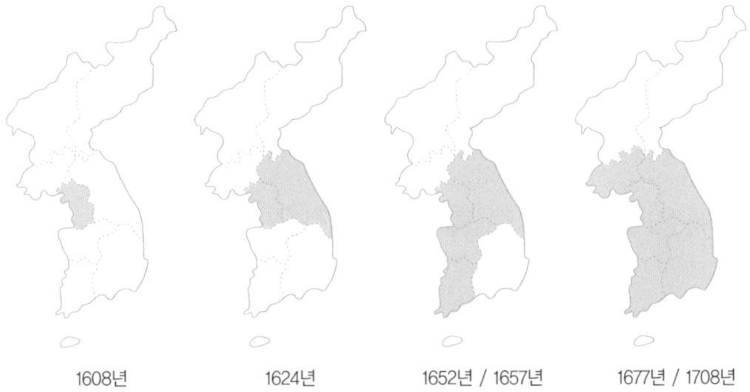

① 광해군 때 전국으로 확대되었다.

② 토지 1결마다 쌀 4두씩 거두었다.

③ 양반들의 반발이 컸던 제도이다.

④ 경기도에만 적용하던 것을 함경도까지 확대했다.

⑤ 이 제도 도입으로 방납의 새로운 폐해가 등장했다.

03. 다음 중 숙종의 업적에 해당하는 세 가지를 쓰시오.

보기

ㄱ. 상평통보 유통	ㅁ. 대동법 도입
ㄴ. 상평청 설치	ㅂ. 《대전통편》 편찬
ㄷ. 백두산 정계비 건립	ㅅ. 탕평책 제기
ㄹ. 균역법 실시	ㅇ. 탕평책 완성

04. 붕당정치에 대한 설명으로 옳지 <u>않은</u> 것은?

① 선조 때 사림이 동인과 서인으로 갈라지면서 시작됐다.

② 서인은 광해군 때 집권 세력인 남인을 몰아내고 인조반정을 일으켰다.

③ 서인과 남인은 서로 비판하면서도 상대당을 인정하며 정국을 운영했다.

④ 붕당은 언론 삼사와 향촌의 서원을 통해 여론을 형성하였다.

⑤ 여러 환국을 거치면서 붕당 사이의 세력 균형이 무너지고 변질되었다.

05. 다음의 비석을 세운 왕이 내렸을 만한 명령으로 볼 수 있는 것은?

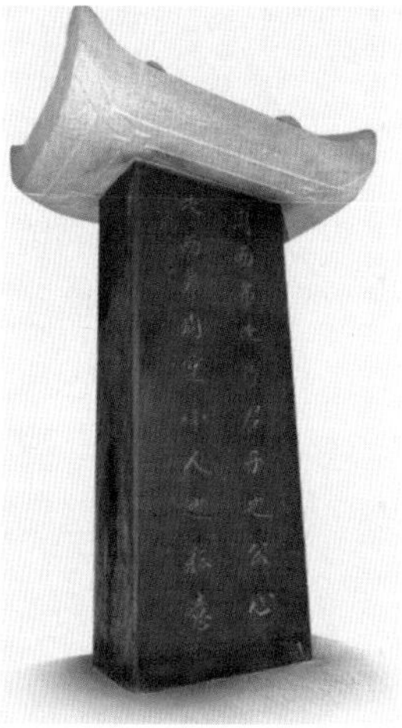

"남과 두루 친하되 편당 짓지 않는 것은 군자의 공정한 마음이고, 편당만 짓고 남과 두루 친하지 못하는 것은 소인의 사사로운 생각이다."

① "붕당을 일삼아 나라를 어지럽게 하는 원흉은 서원이니 모두 철폐하라."
② "일반 백성들도 시전에서 장사를 할 수 있도록 시행했던 금난전권을 폐지하라"
③ "성종 대왕 때 만든 《경국대전》을 우리 실정에 맞게 보완하여 새로운 법전을 편찬하라."
④ "감히 왕권을 업신여기고 반란을 일으킨 이인좌와 그 일당들을 참수하라."
⑤ "백성들이 잘 살려면 상업이 발전해야 한다. 화폐를 유통시켜 상업을 육성토록 하라."

실력 키우기

06. 다음의 그림과 관련 있는 왕에 대해 설명한 것 중 옳지 않은 것을 고르면?

사도세자와 혜경궁 홍씨의 아들로 태어난 이 왕은 평소 아버지를 그리워하는 마음이 컸다고 한다. 이에 ① 아버지 묘소를 수원으로 옮기고 그곳에 화성을 세웠다. 화성을 개혁의 근거지로 삼으려 했던 이 왕은 ② 금위영 중 외영을 이곳에 설치하였고 ③ 성 안에 백성들이 거주하게 해 수원을 계획도시로 만들려고 했다.
이 왕은 조선의 역대 임금 중에서도 높은 학문적 경지로도 유명한데, ④ 왕실 도서관인 규장각을 설치하여 뛰어난 인재를 뽑아 학문과 연구에 몰두하게 했다. 또한 ⑤ 서얼에 대한 차별을 없애는 등 개혁을 추진할 탄탄한 기반을 갖추어 갔다.

Chapter 17

사회 변화와 농민의 봉기

조선 후기 농민 봉기는 왜 일어났을까?

책을 읽기 전에

다음 소제목들을 바탕으로 17장에서 읽게 될 사건들을 예측해 보자.

- 양반들이 상평통보를 사재기한 까닭은?: 상품 화폐 경제의 발전
- 정부가 공명첩을 판 까닭은?: 양반의 몰락과 신분제의 동요
- 최제우는 왜 동학을 창시했을까?: 삼정의 문란과 천주교·동학의 확산
- 모든 농민 반란이 실패한 이유는 무엇일까?: 홍경래의 난과 임술 농민 봉기

책을 읽으며

1. 조선 후기 사회 변화와 농민의 봉기에 대한 내용을 읽으며 중요하다고 생각하는 부분에 밑줄 쳐 보자.

2. 부분별로 읽은 내용을 생각하며 빈칸을 채워 보자.

양반들이 상평통보를 사재기한 까닭은?: 상품 화폐 경제의 발전

1) 조선 전기에는 (   )를 거의 사용하지 않았으며, 쌀이나 비단, 포목을 화폐 대신 쓰거나 필요한 물건을 서로 바꾸는 (   )이 성행했다.

2) 인조 때 만들어진 (   )는 처음에는 별로 쓰이지 않았지만 17세기 후반 숙종 때에는 전국적으로 유통되었다.

3) 양란 후 조선은 토지 개간, 수리 시설 정비 등 대대적인 피해 복구 작업을 시작했다. 특히 씨앗을 뿌리는 (　　　　　)과 비료 주는 법을 개량하며 (　　　　　)을 개선한 덕분에 농촌 경제가 좋아졌다.

4) 모판에 따로 볍씨를 키운 다음 논에 옮겨 심는 방식인 (　　　　　)가 전국적으로 시작되었다. '모판에 옮겨 심는다'라는 뜻의 한자어로 (　　　　　)이라고도 했다.

5) 모내기를 통해 (　　) 생산량이 비약적으로 늘어났고, 쌀을 재배하고 나면 같은 땅에 (　　　)를 재배할 수도 있어 일 년 내에 벼와 보리를 연달아 심는 (　　　　　)이 가능해졌다.

6) 쌀농사로 큰돈을 번 부농들은 (　　　　)를 더 사들여 그 땅에 인삼, 담배, 목화와 같은 (　　　) 작물을 내다 팔며 수익을 높였다.

7) 부농은 많은 토지를 확보했지만, 대다수의 농민은 토지를 잃었다. 가난한 농민들은 일할 터전이 없어 부농의 땅을 빌려 농사를 짓거나 (　　　　　)로 생계를 꾸렸다.

8) 도시에서는 빠른 속도로 (　　　)이 발전하고 있었다. 대동법을 시행하면서 (　　　)이라는 상인이 등장했다. 이들은 전국을 돌며 왕실과 중앙 정부가 필요로 하는 물품을 대량으로 사들였다.

9) 정조 시절 (　　　　　　　)을 폐지한 것도 상업 발전에 큰 도움을 주었다. 누구나 상업을 할 수 있게 되자 한양을 비롯한 전국 여러 곳에 (　　　　)가 생겨났다.

10) 장시에서는 인근 상인은 물론 먼 지역에 있는 (　　　　　)까지 찾아와 물건을 팔았다. 장시에서는 (　　　　　) 공연과 같은 행사가 자주 열려 서민들의 문화 공간 역할도 했다.

11) 상인들이 묵는 숙소인 (   )도 성행했는데, 숙소 역할 외에도 물건을 보관해 주거나 돈을 빌려주는 은행 역할도 했다.

12) 상업이 발달하자 한양, 개성, 평양, 의주, 동래 등에는 대형 민간 상단이 조직되었다. 이들을 (   )이라 했다. 한양의 상단을 (   )이라 불렀는데, 한양 일대의 상권을 장악했다.

13) 동래 상단은 (   )과의 무역을 활발히 했고, 개성상인(송상)은 (   )과의 무역을 독점해 큰 이득을 남겼다.

14) 조선 전기에는 정부가 필요한 물품을 주문하면 (   )에 속한 수공업자가 만들어 납품했기 때문에 (   ) 수공업이라 했다. 그러다 조선 후기에는 관청에 (   )만 내면 독립해서 민간이 자발적으로 물품을 만들 수 있는 (   ) 수공업이 발달했다.

(日) 정부가 공명첩을 판 까닭은?: 양반의 몰락과 신분제의 동요

1) 16세기까지만 해도 양반과 상민의 (   ) 구분이 엄격했다. 하지만 (   ) 정치가 변질되고 경제가 발전하면서 신분제가 동요하기 시작했다.

2) 붕당 간의 대결과 (   )으로 많은 양반이 권력에서 멀어졌다. 일부 양반은 중앙 정계를 떠나 향촌으로 내려갔다. 이들을 지방의 양반이란 뜻으로 (   )이라 불렀다.

3) 몰락한 양반이라는 뜻인 (   )은 말로만 양반이었지, 부유한 상민보다 궁핍하게 살았고 지주의 땅을 빌려 농사를 짓거나 (   )으로 전락하기도 했다. 한편 신분상으로는 (   )이지만 권세를 누린 부농과 거상도 나타났다.

4) 신분 상승을 위해 (   )들은 집단 상소 운동을 벌여 (   )밖에 응시할 수 없는 것과 고위 관료가 될 수 없는 것에 대한 차별을 없애 달라고 했다.

5) 부농이나 거상은 잔반의 (   )을 사거나 위조해 양반이 되었다. '양반 문서'만 가지고 있으면 (   ) 행세를 할 수 있었다.

6) 정부는 공식적으로 신분을 상승시킬 수 있는 문서인 (   )을 팔았다. 이는 이름이 적혀 있지 않은 관직 임명장으로, (   )을 얻어 양반 신분이 될 수 있는 것이다.

7) 정부는 곡물이나 돈을 내면 (   )의 신분을 면해 주는 (   )의 방법을 이용해 (   )에서 상민으로 신분을 상승시켜 주고 (   )을 확충하기도 했다.

8) 신분제의 동요로 양반의 수가 크게 늘어 세금을 내는 상민은 줄었고, 몰락한 (   )들이 산속으로 들어가 (   )을 일구거나 도적 떼가 되어 세금을 내지 않으면서 국가 재정은 악화하였다.

9) 세금을 거둘 대상이 줄어들자 (   ) 때에는 공노비를 (   )으로 해방하기도 했다.

(B) 최제우는 왜 동학을 창시했을까?: 삼정의 문란과 천주교 · 동학의 확산

1) 조선 전기에 있던 (   )은 대동법의 시행으로 사라졌다. 새로 3대 세금 중 하나가 된 (   )은 정부가 봄에 곡물을 빌려주고 가을에 돌려받는 제도였다.

2) 세도 정치 체제에서 (   )이 문란해졌다. 세도가의 토지에는 (   )를 부과하지 않거나, 부과하더라도 최소한만 내게 했다. 반면 힘없는 농민들의 토지에는 수확량의 몇 배에 해당하는 세금을 내도록 했다.

3) 양반과 지주들은 갖은 수를 짜내서 (　　　　)를 면제받았다. 탐관오리들은 부족한 군포를 채우기 위해 (　　　　)의 의무가 없는 갓난아이에게까지 군포를 부과했다. 또한 이미 죽은 사람도 살아 있는 것처럼 서류를 위조해 군포를 내도록 했다.

4) 백성에 대한 수탈이 가장 심한 분야는 (　　　　)이었다. 관리들은 봄에 농민에게 식량과 씨앗을 무조건 빌려 가게 했다. 그러고는 가을에 높은 (　　　　)를 받아냈다.

5) 정부는 삼정의 문란을 해결하고자 지방에 (　　　　　　　)를 파견해 실상을 조사했지만, 문제는 개선되지 않았다. 홍수와 가뭄으로 전염병도 자주 발생했다.

6) 백성들은 더 이상 의지할 데가 없어 종교로 눈을 돌렸는데, 이때 백성의 마음을 달래 준 종교가 (　　　　　)와 (　　　　)이었다.

7) 17세기 이후 (　　　　)에 간 사신들이 서양 문물을 접한 뒤 국내로 가져온 것 중 하나가 《(　　　　　　)》로, 천주교 교리를 담은 서적이었다. 처음에는 학문으로 받아들여졌기에 서양 학문이란 뜻의 (　　　　)이라 불렸다.

8) 조선 사람들이 천주교를 종교로 받아들인 것은 18세기 후반이었다. (　　　　　)이 청에서 신부로부터 세례를 받고 돌아온 후 국내에서 종교 모임을 가진 게 시작이었다.

9) 천주교가 내세우는 (　　　　) 사상과 "다음 생에는 구원받을 수 있다."라는 (　　　) 사상이 민중의 아픔을 달래 주었기 때문에 (　　　　) 계열의 양반 외에 일반 평민과 부녀자까지 빠른 속도로 확산했다.

10) 서학의 위세가 금세 꺾일 거라고 판단했지만 전라도 진산에서 윤지충이라는 선비가 어머니 장례식을 천주교식으로 치른 게 알려졌다. (　　　　)도 지내지 않고 조상의 신주까지 태워 버려 관련자들을 모두 처형하는 (　　　　　　)가 일어나면서 천주교를 탄압하기 시작했다.

11) 19세기 초에는 천주교 금지령이 떨어져 정약용, 정약종, 이승환, 이가환 등 젊은 (　　　)들이 대부분 귀향을 가거나 처형되었다. 조선에 들어와 전도 중이던 청의 신부 주문모가 처형되는 (　　　　　　)가 일어났다.

12) 신유박해 이후로도 천주교에 대한 탄압은 여러 차례 있었고 프랑스 신부를 포함해 조선인으로 처음 천주교 사제가 된 (　　　　) 신부도 순교했다.

13) 영조 통치 시절인 18세기에 서양의 배가 처음으로 조선 해안에 모습을 드러냈다. 사람들은 서양 배의 생김새가 조선의 것과 다르다 해서 (　　　　)이라 불렀다.

14) 영국 상선 앰허스트호가 가장 먼저 (　　　　) 몽금포 해안에 나타나 (　　　)을 요구했다. 얼마 후에는 (　　　　) 군함이 와서 프랑스 신부를 처형한 점을 사과하라고 요구했다.

15) 또 다른 영국 군함은 (　　　) 해안과 서해안을 측량하고 돌아가기도 했다. 당시 러시아가 (　　　) 정책을 펼치고 있었는데, 영국이 이에 대비해 조선을 방어 기지로 이용하려 한 것이다.

16) 천주교가 꾸준히 교세를 확장했지만 많은 농민은 (　　　)이라는 새로운 종교에 의지했다.

17) 동학은 19세기 중반에 경주의 몰락한 양반 (　　　　　)가 창시했다. 동학은 천주교를 포함한 서양 세력에 반대했다.

18) 최제우는 기존의 종교로는 (　　　)을 구제할 수 없다고 생각하고, 누구나 마음 속에 한울님을 모신다는 (　　　　) 사상을 주장했다.

19) 최제우에 이어 2대 동학 교주가 된 (　　　　)은 사인여천 사상을 주장했다. 3대 교주 손병희는 사람이 곧 하늘이라는 (　　　　) 사상을 완성했다.

20) 동학은 몰락한 양반과 농민들에게 큰 인기를 얻어 빠른 속도로 확산하였지만, 정부는 동학도 탄압했다. 최제우를 붙잡아 (   )한다며 처형했다.

21) 사회가 어수선한 중에 이씨의 조선 왕조가 멸망하고 정씨의 새 왕조가 들어선다는 내용을 담은 《(   )》이 전국적으로 크게 유행했다.

22) 《정감록》과 함께 유행한 또 하나의 예언 사상은 (   ) 신앙이었다. 당시 사회가 혼란하니 미래의 부처인 미륵이 나타나 세상을 평정하고 새로운 세계를 건설한다는 것이었다.

目 모든 농민 반란이 실패한 이유는 무엇일까?: 홍경래의 난과 임술 농민 봉기

1) 조선 후기 혼란스러운 사회가 개선되지 않자 결국 (   )들은 19세기 초반부터 전국적으로 (   ) 운동을 시작했다.

2) 저항이 계속되면서 대규모 봉기가 일어났고, 대표적인 것이 평안도에서 일어난 (   )이었다.

3) 평안도 지방에는 (   )과의 무역으로 큰돈을 버는 거상들이 많았다. 홍경래는 상인, 몰락한 양반, 농민, 광산 노동자 등과 함께 (   )여 년 간 봉기를 준비했다.

4) 홍경래는 (   ) 지방에 대한 차별을 철폐하고 (   )를 처벌할 것을 주장하며 봉기했다. 봉기군은 순식간에 곽산, 정주 등 청천강 이북의 여러 지역을 점령했지만 5개월 만에 진압되고 말았다.

5) 홍경래의 난은 양반부터 천민까지 모든 (   )이 참여한 대규모 (   )이었다. 그 영향으로 전국에서 반란이 잇달아 일어났다.

6) 경상 우병사의 악독한 수탈에 몰락한 양반 유계춘이 농민을 이끌고 (　　　　) 농민 봉기를 일으켰다.

7) 진주 농민 봉기를 시작으로 삼남 지방 전역에서 잇달아 봉기가 일어났다. 나중에는 평안도에서 제주까지 전국 70여 곳에서 농민 봉기가 일어났는데, 이 무렵 봉기를 통틀어 (　　　　) 농민 봉기라고 했다.

8) 정부는 삼정을 바로잡겠다며 이를 실행할 관청인 (　　　　　　　　)을 만들었다. 환곡을 철폐하고 전세와 군포 징수를 개선한다는 내용이 들어 있었지만, 개선안은 지켜지지 않았다.

3. 다음 〈보기〉의 용어들을 관련된 농민 봉기와 연결해 보자.

보기

• 유계춘　• 정주성　• 경상 우병사　• 진주 농민 봉기　• 평안도

답 홍경래의 난:

답 임술 농민 봉기:

17장 내용을 한눈에 정리해 보자.

양란 후 조선 농촌과 도시의 변화

1. 양란 후 후기 조선 사회에 어떤 변화가 일어났는지 알아보자.

농촌의 변화

- 농사 기법 개선, 수리 시설 정비
  – 전국적으로 ㉠(　　　)(이앙법) 시행됨.

➡

- 쌀 생산량 증가, 이모작 가능, 노동력 절감
- ㉡(　　　) 작물 재배로 수익 높아짐.

➡

부자는 더 부자가 되고, 가난한 농민은 땅을 빌려 농사짓거나, ㉢(　　　)로 나가 임금 노동자가 됨.

도시의 변화

- ㉣(　　　　) 시행 ➡ • 공인, 왕실과 국가 운영에 필요한 물품 대량 구입
- ㉤(　　　　) 폐지 ➡ • 전국에 ㉥(　　　)가 생겨남. • 보부상이 장시 돌며 장사함.

➡ • 대형 민간 ㉦(　　　) 조직됨.

- ㉧(　　　)상인: 한양의 상단
- 동래상인: 일본과의 무역 활발해짐.
- ㉨(　　　)상인(송상): 청과 무역 독점, 활발하게 무역

㉩(　　　　) 경제 발전 ➡

- ㉪(　　　) 수공업 발전
  – 민간이 자발적으로 물품을 장시에 팔거나, 공인 · 상인에게 판매함.
- 광업 발달
  – 수공업 발전에 따라 제품 원료 수요 증가함.
  – 민간업자의 ㉫(　　　) 채굴 허용

한눈에 보기

훈 흔들리는 신분제도

1. 후기 조선 사회에서 신분제에 생기는 변화를 알아보자.

신분 사회의 변화	신분 상승을 위한 시도	결과
• 양반 사회의 변화 – 권력에서 멀어진 향반, 상민보다 궁핍한 잔반 늘어남. • 상민 사회의 변화 – 양반보다 재산 많은 부농과 거상 등장함.	• ㉠(　　)들의 집단 상소로 차별 철폐 • 부농이나 거상들이 잔반의 ㉡(　　) 사거나 위조해 양반이 됨. • 국가에서 ㉢(　　) 판매해 공식적으로 신분 상승시켜 줌. • 나라에서 돈 받고 ㉣(　　) 신분 면해 줌.	• 양반의 수 크게 증가 • ㉤(　　) 내는 상민 줄어 국가 재정 악화 • ㉥(　　) 해방으로 세금 거둘 대상 늘림.

훈 백성을 괴롭히는 삼정, 위로하는 종교

1. 백성들이 부담해야 했던 3대 세금인 삼정의 문란에 대해 정리해 보자.

삼정

㉠(　　)(전세)
- 공평하게 부과되지 않음.
- 탐관오리들의 세금 횡령: 농민들에게 수확량의 몇 배를 내게 함.

㉡(　　)
- 관리들의 횡령
  - 양반, 지주 군포 면제
  - 갓난아이에게 군포 부과
  - 죽은 사람에게 군포 부과

㉢(　　)
- 무조건 빌려 가게 하거나 빌려 간 것으로 장부 위조함.
- 높은 이자 받음.

2. 조선 후기, 힘든 백성들의 삶을 위로한 종교에 대해 알아보자.

㉠(　　　) (서학)	• 18세기 후반 남인 계열 양반, 일반 평민, 부녀자 대상 종교로 확산됨. • ㉡(　　)사상, 내세 사상이 민중의 마음 달램. • 18세기 후반부터 탄압 당함.: 신해박해, 신유박해
동학	• 19세기 중반 몰락 양반 ㉢(　　　)가 창시함. • 유교, 불교, 도교의 교리 종합하고 민간 신앙 요소까지 가미함. • ㉣(　　　) 사상 주장 • 천주교처럼 탄압 당함.
예언 사상	• 정씨의 새 왕조 들어선다는 《정감록》 유행함. • 미륵이 나타나 새로운 세상을 건설한다는 미륵 신앙 유행함.

Ⓑ 조선 후기 백성들의 봉기

1. 백성들의 저항 운동의 시작을 연 홍경래의 난에 대해 알아보자.

배경	• 조선 건국 이후 줄곧 ㉠(　　　) 차별 받음. • 수령들의 백성에 대한 가혹한 수탈 이어짐.
전개 과정	• 평안도 출신 몰락 양반 ㉡(　　　)가 상인, 몰락 양반, 농민, 광산 노동자들과 함께 봉기 준비함. • 북서 지방에 대한 차별 철폐와 탐관오리 처벌 주장하며 봉기함. • 청천강 이북의 여러 지역 점령했으나 관군에 막혀 세력 확대 어려움. • ㉢(　　　)에서 5개월 농성 이어가다 진압됨.
의의	• 모든 신분이 참여한 대규모 항쟁. 이후 전국에서 반란이 잇달아 일어남.

한눈에 보기

2. 임술년 무렵에 있었던 농민 봉기에 대해 정리해 보자.

- 세도 정치로 민란이 점점 늘어남.
- 삼남 지방에서 민란이 많이 일어남.

- 경상 우병사의 수탈에 유계춘이 농민 이끌고 봉기함.: ㉠(   ) 농민 봉기

- 삼남 지방, 평안도, 제주까지 전국 ㉡(   )여 곳에서 농민 봉기 일어남.

㉢(   ) 농민 봉기(1862년)

그 당시 세계는?

산업 혁명 이후 인류의 삶이 전반적으로 풍요로워졌으나 자본주의 발전에 따른 문제가 곳곳에서 발생했다. 노동자들은 장시간 노동에 시달렸지만 삶은 나아지지 않았다. 19세기 중반부터 불황이나 공황이 나타나자 선진 자본주의 국가들은 아시아와 아프리카에서 식민지를 늘려 문제를 해결하려 했다. 대량으로 생산한 제품을 식민지에 팔고 제품의 원료도 값싸게 얻는 등의 방법으로 말이다. 이처럼 자기 나라의 이익을 위해 식민지를 늘리고 착취하는 해외 팽창 정책을 제국주의라고 하는데, 영국, 프랑스, 네덜란드를 시작으로 서양 열강이 식민지 쟁탈전을 벌이며 19세기가 저물어 갔다.

1. 다음의 내용을 담아, 19세기에 일어난 농민 봉기 선언문을 만들어 보자(순서 상관없음).

1) 백성들을 수탈하는 탐관오리들

2) 계속되는 자연재해와 비현실적인 조세 제도

3) 공정하지 못한 인사 제도

4) 인간 평등 사상

농민 봉기 선언문

조선의 임금과 신하들에게 고(告)함.

이곳 ○○읍의 백성 삼백 명은 더 이상 사람이 온전하게 살 수 없는 현실을 조정에 알리고자 이 자리에 섰다.

실력 키우기

01. 다음 괄호 안의 단어 중 알맞은 것을 고르시오.

1) 조선 후기에는 양반의 수가 (감소 / 증가)하여 국가 재정이 크게 (감소 / 증가)하였다.

2) 왕실과 관청에서 필요한 물품을 대량으로 구입한 (대상인 / 공인)이 상업 활동을 주도하였다.

3) 정부가 재정을 보충하기 위해 돈이나 곡식 등을 받고 이름이 적히지 않은 관직 임명장인 (공명첩 / 납속책)을 발행했다.

4) 조선 후기에 모판에서 모를 옮겨 심는 (견종법 / 이앙법)이 전국적으로 실시되어 농업 생산량이 (증가 / 감소)하였다.

5) 전라도의 윤지충이라는 양반이 어머니의 장례를 천주교식으로 치르고 조상에 대한 제사를 거부하자 천주교도들에 대한 탄압이 시작되었다. 이를 (신해박해 / 신유박해)라 한다.

02. 오른쪽 지도에서 볼 수 있는 조선 후기 사회의 모습으로 옳지 않은 것은?

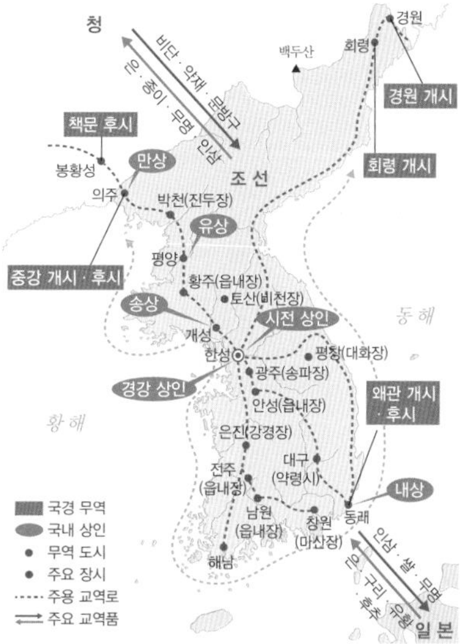

① 농업 생산량이 늘고 작물의 종류가 다양해지면서 상업이 발달했다.

② 주로 포구를 중심으로 객주가 들어섰고, 객주는 숙소뿐 아니라 은행의 역할도 했다.

③ 경강 상단은 한양 일대의 상권을 독점하고 청과의 무역도 독점했다.

④ 전국을 돌아다니며 물건을 팔던 보부상이 등장했다.

⑤ 민영 수공업이 발달하면서 다양한 물품이 장시에서 거래되었다.

03. 조선 후기에 다음 사상들이 유행하게 된 배경으로 볼 수 있는 것만 고르면?

• 미륵 신앙	• 무속 신앙

보기

ㄱ. 천주교의 교세가 크게 확장되었다.

ㄴ. 통상을 요구하는 이양선이 출몰했다.

ㄷ. 최제우가 창시한 동학을 믿는 사람들이 많아졌다.

ㄹ. 자연재해와 전염병이 몇 년째 계속되었다.

① ㄱ, ㄷ ② ㄴ, ㄹ ③ ㄷ, ㄹ ④ ㄱ, ㄹ ⑤ ㄴ, ㄷ

04. **지도에 표시된 지역에서 일어난 사건에 대한 설명으로 옳지 않은 것 두 가지를 고르면?**

① 몰락한 양반이었던 홍경래가 주도한 봉기이다.

② 정주성에서 관군에게 패해 진압되었다.

③ 신흥 상공업 세력, 농민, 광산 노동자 등이 참여한 반란이다.

④ 임술 농민 봉기의 직접적 계기가 되었다.

⑤ 농민을 위한 개혁안을 제시하여 많은 농민들의 지지를 얻었다.

⑥ 10년간 준비했으나 봉기한 지 5개월 만에 진압되었다.

Chapter 18

학문과 예술의 새로운 방향

조선 후기, 독자적 문화를 추구하다

책을 읽기 전에

이번 장에서 기억해야 할 내용은 무엇일지 안내하는 내용과 부분별 제목을 훑어 보며 단어나 어구에 ○해 보자.

책을 읽으며

1. 조선 후기 학문과 예술의 새로운 경향에 대한 내용을 읽으며 중요하다고 생각하는 부분에 밑줄 쳐 보자.

2. 부분별로 읽은 내용을 생각하며 빈칸을 채워 보자.

일본은 왜 조선에 사절단 파견을 요청했을까?: 통신사와 연행사 파견

1) 임진왜란과 병자호란이 끝난 후 조선은 ( ) 경제가 발달했고, ( ) 문화가 발전했다. 일본 및 중국과의 문화 교류도 활발했다.

2) 일본에는 문화 사절단인 ( )를 정기적으로 파견했다. 임진왜란 이후 보내지 않다가 ( )를 체결한 이후 교류를 재개했다.

3) 임진왜란 이후 일본에는 ( ) 정권이 들어섰고, 에도 막부에서는 일인자인 ( )의 권위를 높이기 위해 조선에 통신사를 파견해 달라고 요청한 것이다.

4) 통신사는 (　　　　)이나 (　　　　)을 선물로 주었고, 에도 막부는 (　　)이나 (　　) 같은 것을 답례품으로 주었다.

5) 통신사가 (　　　　)을 출발해 일본 도쿄를 방문했다가 돌아오는 데 소요되는 기간은 (　　　) 정도였다.

6) 청에는 (　　　　　)를 파견했다. 청의 수도 (　　　　　)(연경)을 다녀오는 사절단이라는 뜻으로 학자와 관료들이 포함됐다. 중국뿐 아니라 베이징에 온 여러 나라 사신들과 교류했으며, 서양에 대한 정보도 습득했다.

B 화성 건설 기간을 크게 단축시킬 수 있었던 비결은?: 서학의 전래와 과학 발전

1) 16세기에 과학은 (　　　　)으로 여겨졌으나 17세기부터는 서양 문물을 접하면서 조선 학자들의 세계관이 넓어졌다.

2) 18세기 이후 조선의 사신과 학자들은 청의 수도 베이징에 있는 (　　　　　) 성당에서 서양 선교사들과 직접 교류하면서 서양의 (　　　　) 기술을 배우려했다.

3) 조선 학자들은 (　　　　　)에 관심이 많았다. 서양 역법이 일식과 월식을 정확하게 계산했기 때문이었다. 실제로 대동법의 시행을 주장했던 개혁가 김육은 서양 선교사들이 서양의 과학 기술을 바탕으로 만든 역법인 (　　　　　)을 도입했다.

4) 이익은 《(　　　　　)》에서 서양의 과학 기술에 대해 높은 평가를 내렸고, (　　　　) 의 대표적인 학자인 홍대용이나 김석문은 지구가 자전한다고 주장했다.

5) 18세기 초 국내에 들어온 〈(　　　　　　　　　　)〉는 중국을 통해 조선으로 유입된 세계 지도이다. 이 지도는 이후 조선의 지도가 훨씬 과학적이고 정교해지는 데 도움을 주었다.

6) 서양의 과학 기술을 담은 책이 중국을 거쳐 조선에 수입되기도 했다. 〈기기도설〉이란 책은 역학의 원리와 응용에 대해 설명한 책으로, 이 책을 본 정약용은 무거운 돌을 들어 올리는 (　　　　　)를 발명해 수원 (　　　)을 쌓는 데 사용했다.

7) 거중기는 (　　　　　)의 원리를 활용해 공사 기간과 노동력, 경비를 줄일 수 있었다.

8) 17세기 초 바다에 표류하다 조선에 도착한 네덜란드인 벨테브레이는 조선의 군사 조직인 (　　　　　　)에서 서양식 (　　　) 만드는 기술을 전수했다.

9) 조선 후기 허준은 전통 의학을 체계화해 《(　　　　　　)》을 썼다. 19세기에는 정약용이 (　　　　　)를 예방하기 위해 접종하는 종두법에 관해 연구한 뒤 《마과회통》을 펴냈다.

10) 이제마는 사람의 (　　　)에 따라 치료를 달리해야 한다는 내용을 담은 《동의수세보원》을 펴냈다. 사람의 체질을 태양인, 태음인, 소양인, 소음인 등 네 유형으로 나눈 체질 의학이었다.

11) 17세기 중반 신속은 《농가집성》을 펴내 (　　　　　)를 자세하게 소개했고, 이는 모내기가 전국으로 확산할 수 있게 했다. 박경은 《색경》에서 채소나 화초 등 상업 작물을 재배하는 법을 소개했고, 실학자 서유구는 《임원경제지》에서 조선 (　　　)의 문제점을 비판하며 (　　　　　　)을 주장했다.

12) 정약전은 귀양지인 흑산도에서 해양 생물을 연구한 뒤 《(　　　　　　)》를 펴냈다. 이 책은 227종의 생물에 대한 정보를 정리해 놓았다.

🅔 실학 개혁이 성공하지 못한 까닭은?: 실학의 발전과 한계

1) 조선 후기 상품 화폐 경제가 빠른 속도로 발달했고, (　　　)제는 동요하기 시작했다. 또한 서민 문화도 발달했지만, 여전히 백성의 고통은 컸다.

2) 조정의 실력자들은 (   )과 명분을 중요하게 여기는 (   )이 옳다고 여겨 현실에 나타나는 다양한 문제에는 관심을 두지 않았다.

3) 젊은 유학자들은 (   )이 이론과 형식에 치우쳐 있다고 비판하고, 중국을 통해 들어온 서양 학문과 과학 기술에 관심을 보였다. 양명학이나 고증학과 같은 새로운 유학을 연구하면서 조선에도 개혁적인 유학인 (   )이 등장했다.

4) 17세기 초 실학의 선구자 (   )은 중국에 사신으로 갔다가 서양 문물을 접했다. 이수광은 당시에 습득한 지식과 견문을 영역별로 나누어 《(   )》로 정리했다. 이는 총 20권으로 되어 있는 최초의 백과사전이었다.

5) 실학자들이 가장 먼저 관심을 가진 분야는 (   ) 제도였다. 토지가 일부 부농에게 집중되어 대다수의 농민이 땅이 없어 농촌을 떠나고 있었기 때문에 토지 제도를 개혁하자고 했다. 이처럼 농업 중심의 사회 개혁을 주장한 실학자를 (   )라 했다.

6) 유형원은 부농이나 양반이 토지를 독점하는 것을 막아야 하며 관리, 선비, 농민 등 신분에 맞게 토지를 분배해야 한다는 (   )를 주장하며 《(   )》을 펴냈다.

7) 이익은 농민들이 생계를 유지하는 데 필요한 최소한의 토지는 영원히 팔지 못하는 영업전으로 정하자는 (   )를 주장했다. 이익은 중농학파이면서 서양의 지식과 제도를 적극적으로 받아들여야 한다는 주장을 《(   )》에 담았다.

8) 정약용은 마을 단위로 농민들이 공동으로 토지를 소유하고 공동으로 경작해서 수확물을 분배하자는 (   )를 주장했다. 또한 정치와 경제 분야의 개혁 내용을 담은 《경세유표》, 《(   )》, 《흠흠신서》 등의 책을 집필했다.

9) 18세기 조선의 새로운 실학 학파는 (　　　　　)을 중심으로 개혁해야 한다는 (　　　　　　)였다. 중상학파 대부분은 (　　　　)을 왕래한 경험이 있어 북학파라고도 하는데, 박제가가 쓴《북학의》에서 비롯된 말이다.

10) 성리학자들은 물건을 아끼는 검약 정신을 강조했는데, 박제가는 정반대로 소비를 자극해 (　　　　)를 발전시키자고 했다. 또한 (　　)을 배격하는 것은 옳지 않으며 (　　　)을 늘려야 한다고 했다.

11) 유수원은 모든 직업이 (　　　　)하다고 주장했다. 전문 직업인을 양성함으로써 상공업을 장려하고 (　　　　　　)의 낡은 신분제를 폐지해야 한다고 주장했다.

12) (　　　　　)도 상공업을 적극적으로 육성해야 한다고 주장했다. 유통 수단의 중요성을 깨닫고 수레, 선박, 화폐를 적극적으로 도입해야 한다고 주장하며 청에 다녀온 후 보고 들은 것을 담은《(　　　　　　　)》를 남겼다. 또한 〈양반전〉, 〈허생전〉, 〈호질〉 등 많은 문학작품을 남겼다.

13) 홍대용은 기술을 혁신하고 (　　　　　　　)를 폐지할 것을 주장했다. 홍대용은 성리학적 질서를 강조하는 세계관에서 벗어나는 것이야말로 부국강병을 이루는 요소라 생각했다.

14) 실학자들의 개혁안은 정부 정책에 반영되지 못했다. 중농학파는 대부분 권력으로부터 멀어진 (　　　　)이었고, 당시 정부를 장악한 붕당은 서인, 그중에서도 (　　　　)이었다. 중농학파의 개혁안은 학문의 수준에 머물 수밖에 없었다.

15) 중상학파는 노론이 많았지만, 홍대용과 박지원을 제외하면 대부분 (　　　　)이거나 권력에서 멀어진 가문 출신이 많아 개혁안이 정치에 반영되지 않았다.

🅑 조선 전기에 발해를 연구하지 않은 까닭은?: 국학의 발달과 백과사전의 편찬

1) 실학의 영향으로 조선 후기에는 (　　　　)이 크게 발달했다. 우리 민족의 역사와 언어, 철학, 문학, 법학, 농학, 의학 등을 가리킨다.

2) 실학자들은 (　　　　) 중심의 세계관을 거부하고 우리 민족의 독자적인 역사를 강조했다.

3) 안정복은 《동사강목》을 통해 중국에 대한 (　　　　　　　)를 철저히 배격하고 (　　　　　)에서 (　　　　)에 이르는 우리 역사를 체계적으로 정리했다.

4) 유득공은 《발해고》를 통해 (　　　　)가 우리 민족의 역사임을 처음 밝혔다.

5) 19세기 초반의 실학자 이종휘는 《동사》를 통해 (　　　　　)의 역사를 부각시켰다. 고조선에서부터 부여, 고구려를 거쳐 발해에 이르는 고대사를 다루어 고구려, 백제가 모두 단군의 후예이며, 발해는 고구려의 후계자라는 점을 밝혔다.

6) 이중환의 《택리지》와 정상기의 〈동국지도〉, 김정호의 〈(　　　　　　　　)〉 등 각종 지리지와 지도가 만들어진 것으로 우리 (　　　　)에 대한 관심도 컸다는 것을 알 수 있다.

7) 〈동국지도〉는 처음으로 (　　　　)이란 개념을 도입해 만든 지도였다. 100리를 1자로 축소한 축척을 사용해 지도가 훨씬 정확해졌다.

8) 역사, 영토에 이어 우리의 독창적인 언어인 (　　　　)에 대한 연구도 활발하게 이루어졌다. 신경준은 한글 음운 연구서인 《훈민정음운해》를 썼고, 유희는 한글과 한자음의 관계를 연구해 《언문지》를 썼다.

9) 조선 후기 다양한 정보를 두루 담은 (　　　　　　　)도 편찬되었다. 대표적으로는 《지봉유설》과 《(　　　　　　　)》이 있다.

10) 18세기 후반 (　　　)가 홍봉한 등에게 왕명을 내려 역대의 문물과 제도를 정리하도록 했다. 그 결과, 100권짜리 대작인 《동국문헌비고》가 만들어졌다.

B 허생이 번 돈을 모두 버린 이유는?: 조선 후기의 문학과 예술

1) 조선 전기에는 사대부의 (　　　)를 다룬 작품들이 꽤 있었지만 17세기 무렵부터는 (　　　)의 모순을 지적하는 작품들이 나왔다.

2) 북학파인 (　　　　)은 〈양반전〉, 〈허생전〉, 〈호질〉과 같은 (　　　) 소설을 통해 조선 사회의 구조적 모순을 비판했다.

3) 박지원은 《(　　　　)》을 통해 부자들에 의해 매점매석이 성행하는데도 정부가 아무런 조치를 하지 않는 점, 많은 돈이 시장에 풀려도 정부가 조절할 수 없는 점 등을 비판했다.

4) 김정희는 여러 필체를 연구한 후 자신만의 필체인 (　　　　)를 완성했다. 김정희보다 다소 앞서 활동했던 이광사는 원교체라는 필체를 완성했다.

5) 회화에서는 (　　　　)의 변화가 두드러져, 우리만의 독창적인 작품을 만들려는 시도가 잇달았다. 우리나라 풍경을 그대로 그리는 (　　　　　)가 유행했다.

6) (　　　)은 〈금강전도〉를 통해 하늘에서 금강산을 내려다본 듯한 풍경을 잘 묘사했다. 또한 진경산수화인 《(　　　　　　)》는 비가 내렸다가 그친 후에 안개 낀 인왕산의 풍경을 묘사했다.

7) 공예는 실용적으로 변했다. 장롱이나 책상, 소반과 같은 목공예 작품이 많이 만들어졌다. 그 외에도 (　　　　)를 잘게 썰어서 만든 죽세공품이나 조개껍데기 같은 것으로 장식하는 (　　　　　)도 인기를 끌었다.

8) 자기 분야에서는 16세기 이전에 유행하던 분청사기가 거의 사라지고 여러 모양의 (   )가 만들어졌다. 단순하고 꾸밈이 없는 게 특징이며 주로 문방구나 제사용 그릇으로 사용되었다.

9) 건축 분야에서는 (   ) 건축물이 많이 지어졌다. 조선 후기로 갈수록 양반과 부농, 거상들이 돈을 내 규모가 큰 (   )을 많이 지었다. 대표적인 것이 구례 화엄사 각황전, 보은 법주사 팔상전, 김제 금산사 미륵전이다. 이 중에서 (   )은 현재까지 남아 있는 유일한 5층 목탑이다.

3. 다음 인물들의 공통점은 무엇인지 간단히 써 보자.

• 유형원	• 이익	• 정약용

한눈에 보기

18장 내용을 한눈에 정리해 보자.

일본으로 가는 통신사, 청나라로 가는 연행사

1. 양란 이후 조선이 일본과 청나라에 파견한 사절단 관련 내용을 정리해 보자.

상대국과 명칭	목적	과정	결과
일본 통신사	• 일본 ㉠(　　　　)의 파견 요청 • 쇼군에게 국서 전달과 답서 받음.	• 19세기 초까지 ㉡(　)회 파견 • 300~500명 규모 파견	• ㉢(　　)의 학문, 과학, 예술 일본에 전파됨.
청 영선사	• 청과 ㉣(　　)관계 유지	• ㉤(　　　)으로 사절단 파견 • 200~300명 규모 파견	• 아시아 여러 나라 사절단과 국제 외교 펼쳐짐. • ㉥(　　) 문물과 서적 들여옴. • 연행사 따라간 상인들의 ㉦(　　　) 활발

조선 후기, 과학에 대한 생각의 변화

1. 빈칸을 채우며 과학에 대한 조선 과학자들의 생각이 바뀐 계기를 살펴보자.

"과학은 학문이 아니라 잡다한 기술일 뿐이다." (16세기)

㉠(　　　　),
㉡(　　　　)
→

"여러 분야에서 발전을 이루려면 과학 기술을 연구해야 한다."(17세기)

한눈에 보기

ⓑ 서학의 전래와 조선의 과학 발전

1. 질문에 대한 답을 완성하며 당시 전래된 서학의 다양한 분야가 조선의 과학 발전에 끼친 영향을 정리해 보자.

Q: 조선 후기 조선의 학자들이 천문학과 관련해 한 일은 무엇인가?
A: 먼저, 김육이 청에 머물던 서양 선교사들이 만든 역법인 ㉠(　　　)을 도입했다. 당시 서양 역법이 일식과 월식을 정확히 계산했기 때문에 연구하고 싶었을 것이다.

Q: 〈곤여만국전도〉를 통해 조선의 실학자들은 어떤 깨달음을 얻었나?
A: 서양에서 만든 세계 지도를 보면서 ㉡(　　)이 지구의 중심이 아니라는 사실을 깨달았고, 우리 민족의 독자적인 역사서와 지리서 등을 발달시킬 수 있었다.

Q: 서양의 과학 기술을 담은 《기기도설》을 바탕으로 정약용이 발명한 것은 무엇이고, 어디에 활용했나?
A: 역학의 원리와 응용에 대한 설명을 바탕으로 ㉢(　　　)를 발명해 ㉣(　　　　)을 쌓는 데 사용했다.

2. 빈칸을 채우며 후기 조선의 학자들이 연구하고 발전시킨 의학과 농업 관련 연구를 알아보자.

- ㉠(　　　) 분야에서 허준이 전통 의학을 체계화한 《동의보감》을 썼다.
- 정약용이 천연두 예방을 위해 ㉡(　　　)을 연구한 뒤 《마과회통》을 펴냈다.
- 신속이 《농가집성》을 펴내 ㉢(　　　)가 전국으로 확산하였다.
- 서유구는 《임원경제지》에서 조선 농업의 문제점을 비판하며 자급자족을 주장했다.
- 박경은 《색경》에서 채소나 화초 등 상업 작물 재배법을 자세히 소개했다.
- 정약전이 흑산도에서 ㉣(　　　　)을 연구한 뒤 《자산어보》를 썼다.

B 개혁적인 유학의 등장, 실학

1. 표를 완성하며 실학에 대해 정리해 보자.

배경		• 이론과 형식에 치우친 ㉠(　　　) 비판: 현실 문제에 무관심, 해결 어려움. • ㉡(　　) 학문과 과학 기술에 대한 관심 커짐. • 새로운 유학 연구 – 실천을 중요시하는 양명학, 실제로 입증할 수 있는 것 중시하는 고증학
선구자		• ㉢(　　　) – 17세기 초 중국에 사신으로 갔다가 서양 문물 접함. – 습득한 지식, 견문을 정리해 조선 최초의 백과사전인 《지봉유설》 펴냄.
연구 분야	㉣(　　　)	• 농업 중심의 사회 개혁, 토지 제도 개혁 주장 – 유형원: 토지 독점을 막고 신분에 맞게 분배하는 ㉤(　　　), 《반계수록》 – ㉥(　　): 최소한의 토지는 팔지 못하는 영업전, 《성호사설》 – 정약용: 마을 단위 토지 공동 소유, 공동 경작 분배하는 ㉦(　　　), 《경세유표》, 《목민심서》 등 펴냄. 중농학파 실학 집대성
	중상학파	• ㉧(　　　) 중심 개혁 주장 – ㉨(　　　): 소비 촉진 주장. 청나라와 통상 늘려야 한다고 주장. 《북학의》 – 유수원: 상공업 장려, 사농공상의 낡은 신분제 폐지 주장. 《우서》 – ㉩(　　　): 상공업 육성 주장, 수레, 선박 등 적극 도입 주장. 《열하일기》 – 홍대용: 기술 혁신 문벌제도 폐지 주장. 《의산문답》

2. 실학자들의 개혁안이 정부 정책에 거의 반영되지 못했던 까닭을 알아보자.

실학자들의 개혁안이 정치에 반영되지 않음.

- 중농학파 대부분이 ㉠(　　)으로, 권력으로부터 멀어져 관리들의 관심을 받지 못하고 ㉡(　　) 수준에 머묾.
- ㉢(　　　　)는 홍대용과 박지원 제외 대부분 ㉣(　　)이고, 권력에서 멀어진 가문 출신 많음.

Ⓑ 국학(한국학)의 발달

1. 실학의 영향으로 조선 후기에 발달한 국학에 대해 분야별로 정리해 보자.

〈역사〉
- 안정복, 《동사강목》
  - 고조선~고려 역사 정리
- 유득공, ㉠《   》
  - 발해가 우리 민족 역사임을 최초로 밝힘.
- 이종휘, 《동사》
  - 고대사 다룸. 고구려, 백제 모두 단군의 후예, 발해는 고구려의 후계자 밝힘.

〈지리지와 지도〉
- 이중환, ㉡《   》
  - 지방별 자연환경, 풍속 등 정리한 지리지
- 정상기, 〈동국지도〉
  - 최초로 축척 도입해 만든 지도
- 김정호, 〈대동여지도〉
  - 산맥, 고을 경계 등 정확하고 체계적으로 만든 지도
- 신경준, 〈산경표〉
  - 조선 산맥 분류 체계 정리

국학(한국학)

〈한글 연구〉
- ㉢(   ), 《훈민정음운해》
  - 한글 음운 연구서
- 유희, 《언문지》
  - 한글과 한자음의 관계 연구

〈백과사전〉
- 이수광, 《지봉유설》
- 이익, 《성호사설》
- 홍봉한 등, ㉣《   》
  - 영조의 명으로 역대 문물 제도 정리함.

B 조선 후기 양반들의 문화

1. 빈칸을 채우며 조선 후기 양반들의 문화의 특징과 대표작을 알아보자.

조선 후기 양반 문화

〈문학〉
- 17세기 무렵부터 사회 모순 지적하는 작품 등장
  - ㉠(　　　): 〈양반전〉, 〈허생전〉 등
  - 정약용: 한시

〈서예〉
- 중국에서 벗어나 우리만의 독창적인 글씨 쓰려는 운동 일어남.
  - 김정희: ㉡(　　　)
  - 이광사: 원교체

〈회화〉
- 우리나라 풍경을 있는 그대로 그리는 ㉢(　　　) 유행함.
  - ㉣(　　), 〈금강전도〉, 〈인왕제색도〉
  - 김홍도, 〈사군첩〉

〈공예〉
- 실용적으로 변함.
  - 책상, 소반 등 목공예 작품 많이 만듦
  - 죽세공품, 나전칠기도 인기 있음.

〈자기〉
- 분청사기 사라지고 흰색 바탕에 푸른 색깔로 무늬 넣은 ㉤(　　　　) 등장함.
  - 문방구나 제사용 그릇으로 사용함.

〈건축〉
- 양반, 부농, 거상들이 돈을 내 규모가 큰 사찰이 많이 지어짐.
  - 구례 화엄사 각황전, 김제 금산사 미륵전
  - 보은 법주사 팔상전: 현존하는 유일한 5층 ㉥(　　)

역사 논술

1. 아래와 같이 조선 후기에 들어 국학에 대한 관심이 높아진 배경을 생각해 보자.

조선은 건국 초 성리학을 통치 이념으로 삼았을 뿐 아니라 중국을 세상의 중심으로 여기고 스스로 아들 나라로 여겼다.	➡	• 유득공은 《발해고》에서 발해가 우리 민족의 역사라는 사실을 처음으로 밝혔다. • 이중환은 《택리지》를 통해 전국의 각 지방별 자연환경과 풍속, 유명한 인물 등을 정리해 소개했다.

2. 아래 대화를 완성하며, 실학 연구가 갖는 의의를 생각해 보자.

대부분의 실학자가 권력에서 밀려난 남인이거나 서얼 출신이어서 실학이 당시 조선 사회에 끼친 영향은 미미했을 것 같아.

그렇지 않아. 성리학적 관점에서 벗어나 실생활에 도움이 되는 학문이 필요하단 것을 알게 된 것만도 큰 변화라 생각해. 그리고…

실력 키우기

01. 다음 학자의 저서를 바르게 연결하시오.

① 유득공 •	• 《동사강목》
② 안정복 •	• 《반계수록》
③ 신경준 •	• 《성호사설》
④ 이익 •	• 《발해고》
⑤ 유형원 •	• 《훈민정음 운해》

02. 아래와 같은 주장을 한 사람에 대한 설명으로 옳은 것은?

> 재물은 비유하자면 우물이다. 우물에서 물을 퍼내면 물이 가득 차지만 길어 내지 않으면 물이 말라 버린다. 마찬가지로 비단옷을 입지 않으므로 나라에는 비단을 짜는 사람이 없고, 그 결과로 베를 짜는 여인의 모습을 볼 수 없게 되었다.
>
> – 출처: 고등 교과서 독서(서혁), 신사고

① 청을 배격해야 한다고 주장했다.

② '북학파'는 이 사람의 저서 제목에서 비롯되었다.

③ 상업 장려뿐만 아니라 토지 공동 경영을 주장했다.

④ 사농공상의 신분제를 폐지해야 한다고 주장했다.

⑤ 수레, 선박 등 유통 수단의 중요성을 역설했다.

실력 키우기

03. 다음 중 저서의 분야가 다른 하나는?

① 《발해고》 ② 《동국문헌비고》 ③ 《해동역사》 ④ 《동사》 ⑤ 《동사강목》

04. 오른쪽 지도에 대한 설명으로 옳지 않은 것은?

① 조선의 산맥, 도로망 등을 정밀하게 표시했다.

② 이전까지의 지도보다 체계적이고 정확했다.

③ 최초로 축척을 사용해 제작되었다.

④ 10리마다 점을 찍어 거리를 표시했다.

⑤ 김정호가 제작했다.

05. 아래와 같은 반응을 일으킨 (㉠)에 대한 설명으로 옳은 것은?

(㉠)이/가 방문하면 일본에서는 화가들이 앞다투어 뛰어 나와 그들의 모습을 그리기 일쑤였다. (㉠)의 모습을 보기 위해 수많은 사람들이 줄지어 있었으며, 일본은 이들을 맞이하기 위해 대규모 숙소를 짓는 것은 물론 어마어마한 양의 음식을 충당하는 것도 마다하지 않았다. (㉠)이/가 한 번 방문하고 나며 일본에서는 유행이 바뀔 정도였다.

① 임진왜란이 끝난 후 곧바로 시작되었다.

② 일본에서도 답례로 사절단을 파견했다.

③ 주로 학자나 관료들로 구성된 사절단이 파견되었다.

④ 사신들이 벌인 공무역 외에도 상인들에 의한 사무역도 활발했다.

⑤ 에도 막부의 요청으로 시작되었으며 200년간 12회 파견했다.

06. 조선 후기 예술에 대한 설명으로 옳은 것만 고르시오.

ㄱ. 문인화 - 사대부들이 그린 사군자화가 유행했다.

ㄴ. 문학 - 조선 사회의 모순, 양반의 이중성을 풍자하는 작품이 창작되었다.

ㄷ. 공예 - 아무 무늬 없는 순백의 백자가 유행했다.

ㄹ. 서예 - 우리나라의 독창적인 추사체, 원교체를 완성했다.

ㅁ. 건축 - 현존하는 5층 석탑인 법주사 팔상전이 대표적이다.

07. 농업 중심의 개혁을 주장하던 학자들의 생각으로 옳지 않은 것은?

① 학문은 실질적인 이익을 증진시켜야 한다고 생각했다.

② 주로 농업 기술이나 세금 제도를 개혁해야 한다고 주장했다.

③ 유형원은 신분에 따라 토지를 재분배하는 균전론을 주장했다.

④ 정약용은 공동 경작하고 노동에 따라 분배하는 여전론을 주장했다.

⑤ 이익은 절대 팔 수 없는 영업전을 정하는 한전론을 주장했다.

Chapter 19

생활과 문화의 새로운 양상

서민 문화가 활짝 피어나다

책을 읽기 전에

다음 소제목들을 바탕으로 19장에서 읽게 될 내용들을 예측해 보자.

- 장남이 재산 대부분을 상속받은 이유는?: 가족 제도 및 풍속의 변화
- 왜 민화에는 호랑이가 많이 등장할까?: 서민 문화의 발달

책을 읽으며

1. 조선 후기 생활과 문화의 새로운 양상에 대한 내용을 읽으며 중요하다고 생각하는 부분에 밑줄 쳐 보자.

2. 부분별로 읽은 내용을 생각하며 빈칸을 채워 보자.

장남이 재산 대부분을 상속받는 이유는?: 가족 제도 및 풍속의 변화

1) 17세기 이후에는 양반들이 집안의 조상에게 제사를 지내기 위한 가묘나 (　　　) 을 만들었다. (　　　) 구분이 명확해지고 사회 분위기도 엄격해졌다. (　　　)의 지위가 떨어졌고, 적자와 (　　　)의 차별도 심해졌다.

2) 고려 시대는 (　　　)살이가 일반적이었다. 조선 초기와 중기까지도 풍속은 크게 바뀌지 않았다. 하지만 조선 초기부터 성리학자들은 남자가 더 중요하니 신부가 신랑의 집으로 와서 혼인식을 올려야 한다는 (　　　)로 바꾸려고 했다.

3) 《주자가례》나 《소학》이 보급되고 성리학적 질서를 강요하다 보니, 17세기 중반부터 신랑이 신부의 집에 가서 혼례를 치르되 잠시만 머문 뒤 함께 신랑의 집으로 돌아간다는 (   )로 바뀌기 시작했다.

4) 조선 후기로 갈수록 (   )의 차별이 더 심해졌다. 족보에 이름을 올릴 때도 아들부터 올리고, 그 후에 딸의 이름을 올렸다. 또한 여자는 아예 (   )을 상속받을 수 없었고, (   )에게 거의 모든 재산을 물려주었다.

5) 유교 사회에서 (   )는 중요한 행사로 아들만 지낼 수 있었다. 아들이 없다면 친족 중에서 양자를 들였다.

6) 조선 중기까지만 하더라도 향촌의 중심은 (   )들이었다. 하지만 후기로 가면서 경제적으로 넉넉해진 (   )이 향촌의 중심이 되기도 했다.

B 왜 민화에는 호랑이가 많이 등장할까?: 서민 문화의 발달

1) 조선 후기로 접어들면서 경제적으로 넉넉해지고 (   )에서 글자를 배우게 된 서민들이 많아져 (   )에 관심을 두기 시작했다. 문화를 만들고 누리는 주체가 양반을 넘어 (   )으로 확대되었다.

2) 서민 문화의 대표적인 것이 (   ) 작품이었다. 판소리 작품을 '(   )'이라 불렀으며, 현재는 〈춘향가〉, 〈흥부가〉, 〈심청가〉, 〈수궁가〉, 〈적벽가〉 등 다섯 마당만 전해진다.

3) 판소리 작품은 (   ) 소설 형식으로도 만들어졌으며, (   )를 비판하는 것들이 많았다.

4) 서민들이 특히 즐긴 문화는 (   )이었다. 송파 산대놀이와 봉산 탈춤이 대표적이다.

5) 판소리와 탈춤은 서민들이 많이 모인 (   )에서 주로 공연했다. 양반을 풍자하는 춤꾼의 익살스러운 몸짓과 대사를 통해 서민들은 쾌감을 느꼈다.

6) 농촌에서는 농민 공동체인 (   )를 통해 농악을 즐기기도 했다.

7) 17세기경 쓰인 것으로 추정되는 최초의 한글 소설 《(   )》을 통해 허균은 (   )을 차별하는 당시 사회상을 비판했다.

8) 시조 분야에서는 서민들이 즐기는 새로운 시조가 등장했다. 형식에 얽매이지 않고, 원하는 대로 시조를 읊는 (   )가 창작되었다.

9) 그림 분야에서도 서민 문화가 반영되어 (   )와 민화가 유행했다. (   )는 장터에서 씨름하는 모습이나 서당에서 훈장에게 혼나서 울고 있는 아이의 모습 등 서민의 삶을 화폭에 담았다. 또한 신윤복은 부녀자들의 생활을 화폭에 담거나 양반들의 풍류를 즐기는 모습을 그렸다.

10) 복을 기원하고 나쁜 기운이나 귀신을 몰아내기 위한 그림인 (   )도 많이 그렸다. (   )는 액운을 막는 힘이 있다고 믿어져 민화의 주된 소재가 되었다.

11) (   )를 그림의 소재로 삼아 충, 효, 신, 예와 같은 글자를 그림처럼 그리면 좋은 일이 생길 거라고 믿기도 했다.

3. 조선 후기 서민 문화와 관련된 내용을 2가지 이상 생각해 보자.

19장 내용을 한눈에 정리해 보자.

조선 후기 풍속의 변화

1. 이전 시기에 비해 큰 변화가 나타나는 조선 후기 풍속의 변화를 알아보자.

조선 후기 사회 분위기	• ㉠(　　　)적 질서가 완전히 자리 잡음. – 신분 구분이 명확해지고 사회 분위기 엄격해짐. – ㉡(　　)의 지위 떨어지고, 적자와 서얼 차별이 심해짐.

혼인	재산 상속	제사
• 반친영제: 신랑이 신붓집에 가서 혼례를 치르고 잠시 머문 뒤 함께 신랑의 집으로 돌아감. – 여성의 시집살이 시작됨.	• 여자는 재산 상속 불가능해짐. • ㉢(　　)에게 모든 재산 물려줌. • 장남이 집안 대소사 모두 챙김.	• ㉣(　　)만 제사 지냄. – 딸은 제사 지낼 수 없음. – 아들이 없다면 친족 중에서 양자를 들임.

서민 문화의 발달

1. 조선 후기 들어 서민 문화가 발달하기 시작한 배경을 알아보자.

2. 분야별로 서민 문화가 어떠했는지 알아보자.

〈소설〉
- 허균, 〈㉠( ))〉
  - 최초의 한글 소설, 서얼 주인공 활약 통해 사회 비판

〈시조〉
- 서민들이 형식을 일부 파괴한 ㉡( ) 창작함.
  - 세상 이야기, 남녀 간의 애정 등 서민 생활 · 감정 관련 작품 많음.

조선 후기 서민 문화
- 양반 중심 사회를 ⓞ( )하는 작품 등장
- 남녀의 ㉢( )을 다룬 작품 등장
- 일반 서민의 풍류를 작품으로 표현함.

〈탈춤〉
- 송파 산대놀이, 봉산 탈춤
- 양반 풍자하는 내용 많음.
- 주로 ⓒ( )에서 공연됨.

〈판소리〉
- 서민 문화의 대표, 서민 감정 드러남.
- 열두 마당 중 ㉥( ) 마당 전해짐.
  - 〈춘향가〉, 〈흥부가〉, 〈심청가〉, 〈수궁가〉, 〈적벽가〉
- 주로 장시에서 공연됨.
- ㉦( )로 만들어져 널리 읽힘.

〈그림〉
- 서민의 소박한 삶과 정서 보여줌.
- 서민 문화 반영된 풍속화, 민화 유행함.
  - ㉣( ): 서민의 삶을 화폭에 담아 그림.
  - 신윤복: 부녀자들의 생활 등
- 서민 화가들이 창작 활동함.
  - ㉤( ), 문자도

1. 조선 전기 사회의 모습을 참고로 달라진 조선 후기 사회와 풍속을 채워 보자. 그리고 달라진 사회에 대한 양반과 여성의 마음을 짐작해 보자.

〈조선 전기〉

- 딸이라 해도 부모의 재산을 상속할 수 있었고, 부모의 제사를 아들 대신 딸이 지낼 수 있었다.
- 신부의 집에서 혼인식을 치른 뒤 신랑이 처가에 머무르는 처가살이가 많았다.
- 재산 상속 시 아들, 딸 구별 없이 균등하게 분배했다.
- 양반은 최고 지배층으로 국역을 면제받는 등 여러 특권을 누렸다.

➡

〈조선 후기〉

- 제사의 책임이 아들에게만 돌아갔고, 재산 상속에 있어서도 아들과 딸에 차별을 두었다.
- 혼인식은 (1) ____________________
- 재산 상속 시 (2) ____________________
- (3) ____________________

(4) 양반

(5) 여성

실력 키우기

01. 다음 중 조선 후기 서민 문화가 발달하게 된 배경으로 볼 수 없는 것은?

① 서민의 경제력이 향상되었다.

② 서당 교육 확대로 글을 배운 사람들이 많아졌다.

③ 평등사상이 퍼지면서 의식 수준이 높아졌다.

④ 신분 질서가 동요하기 시작했다.

⑤ 중국을 통해 서양 과학과 문물이 전래되었다.

02. 다음에서 설명하는 예술가를 순서대로 바르게 연결한 것은?

(가) 우리 자연을 사실 그대로 표현한 진경산수화를 개척했다.

(나) 자신만의 독특한 글씨체를 완성하였다.

(다) 부녀자의 풍습 또는 남녀 간의 애정을 묘사한 풍속화를 주로 그렸다.

(라) 농촌 서민들의 일상생활을 담은 풍속화를 많이 그렸다.

	(가)	(나)	(다)	(라)
①	김정희	신윤복	김홍도	정선
②	정선	김정희	신윤복	김득신
③	김정희	정선	김홍도	신윤복
④	김득신	정선	신윤복	김홍도
⑤	정선	김정희	신윤복	김홍도

03. 다음 ㉠, ㉡에 대한 설명으로 옳은 것은?

> 17세기경에는 소리꾼이 고수(북치는 사람)와 함께 장시를 돌아다니며 이야기와 노래를 들려주는 (㉠)와/과 초장, 중장, 종장의 형식을 파괴한 (㉡)이/가 등장하여 서민들의 생활이나 감정을 표현했다.

① ㉠ - 대표적으로 송파 산대놀이, 봉산 탈춤이 있다.

② ㉠ - 원래 한글 소설이던 것을 노래와 이야기로 들려주었다.

③ ㉡ - 여전히 사대부가 주된 창작 계층이었다.

④ ㉡ - 기존보다 짧아진 형식으로 절제미가 돋보였다.

⑤ ㉠, ㉡ - 양반에 대한 풍자와 해학으로 서민들의 사랑을 받았다.

근 · 현대 사회의 전개

: 미래의 영광을 위해

Part VI

Chapter 20-1

국민 국가의 수립 (개항부터 한일 병합까지)

대한민국은 민주 공화국이다

책을 읽기 전에

다음 차례를 바탕으로 당시 조선 사람들은 어떤 마음이었을지 생각해 보자.

- 흥선 대원군의 통치와 강화도 조약
- 개화 정책의 추진과 임오군란
- 개화파의 분열과 갑신정변
- 동학 농민 운동과 청일 전쟁
- 갑오개혁과 을미개혁의 추진과 의의
- 대한 제국의 탄생과 독립 협회의 활동
- 대한 제국의 위기와 강제적 한일 병합
- 항일 무장 투쟁과 애국 계몽 운동
- 일본의 독도 영유권 주장과 역사 왜곡

책을 읽으며

1. 개항부터 한일 병합 조약에 이르기까지 내용을 읽으며 중요하다고 생각하는 부분에 밑줄 쳐 보자.

2. 부분별로 읽은 내용을 생각하며 빈칸을 채워 보자.

강화도 조약은 왜 불평등 조약일까?: 흥선 대원군의 통치와 강화도 조약

1) 고종의 아버지 (   )이 권력을 잡은 후 대대적인 개혁에 돌입했다. 세도가들이 모여 국정을 농단하는 (   )를 축소하고, (   )의 권한을 강화해 통치 체제를 정비했다.

2) 《대전회통》이라는 새로운 법전을 펴내면서 법질서를 바로잡았고, 유능한 인재라면 당파나 붕당을 가리지 않고 등용했다. 세도가들의 근거지 역할을 한 (   )을 47곳 빼고 모두 철폐했다.

3) 민생을 안정시키기 위해 양반, 상민 구분 없이 모든 집에서 군포를 내는 (   )를 시행했다. 곡식을 빌려주는 (   ) 제도를 개혁해서 향촌의 지도자가 담당하는 사창제를 실시했다.

4) (   ) 중건 사업은 백성의 원망을 샀다. 정부는 동전 하나당 상평통보의 백배 가치를 지닌 (   )을 발행했고, 원해서 내는 돈이라는 뜻의 원납전도 강제로 거두었다.

5) 흥선 대원군이 (   )를 탄압하여 당시 국내에 있던 프랑스 선교사들과 조선인 천주교 신도 8,000여 명을 처형하는 (   )가 일어났다. 이에 중국에 있던 프랑스 함대가 (   )로 쳐들어왔지만, 조선군이 프랑스군을 몰아내는 데 성공했다. 이 사건이 (   )이다.

6) 병인양요가 일어나기 3개월 전에는 (   ) 상선 제너럴셔먼호가 대동강에 나타나 통상을 요구하며 횡포를 부렸고 이 과정에서 배가 불에 탔다. 3년 후 미국이 제너럴셔먼호 사건의 책임을 묻겠다며 침략한 사건이 (   )이다.

7) 흥선 대원군은 전국에 (   )를 세워 서양과는 통상이나 수교를 하지 않겠다는 뜻을 천명했다.

8) 명성 왕후는 흥선 대원군을 몰아내기 위해 양반 유생들과 힘을 합쳤다. 양반 유생들은 (   )의 직접 통치를 촉구하는 상소를 올렸고 결국 흥선 대원군은 정계를 떠나야 했다.

9) 고종이 통치하면서 외국과 통상을 맺고 (   )하자는 주장이 힘을 얻기 시작했다. (   )은 강화도에 군함 운요호를 보냈다. 일본 병사들이 조선의 해안가를 측량하는 것을 조선 병사들이 제지하는 과정에서 충돌이 있었다.

10) 일본의 통상 요구 후 조선은 일본과 (   )을 체결하고 문호를 개방했다. 강화도 조약은 조선의 문호를 개방한 조약이자, 조선이 외국과 맺은 최초의 (   ) 조약이면서 불평등 조약이었다.

11) 강화도 조약의 제1조는 '조선은 자주국이며, 일본과 평등한 권리를 누린다.'였지만 실제로는 조선과 (   )의 관계를 끊으려는 것이었다.

12) 강화도 조약에서 부산, 원산, 제물포 세 항구를 개항하고, 항구에는 개항장을 두기로 했다. 개항장에 머무는 일본인에게 (   )을 허용했다.

13) 이후 조선에는 김옥균, 박영효, 김홍집 등에 의해 (   ) 정부가 꾸려졌다. 일본에 이어 (   ), (   )과 조약을 체결했다.

구식 병사들은 왜 반란을 일으킨 걸까?: 개화 정책의 추진과 임오군란

1) 강화도 조약 체결 후 조선의 개화파 정부는 (   )에 수신사를 파견해 선진 문물을 견학했다. 개화 정책을 총괄할 기구인 (   )을 만들었다.

2) 조선 정부는 근대화 개혁으로 5군영 체제를 2영으로 축소했으며, 신식 군대인 (   )을 창설했다. 또 근대 무기를 제조하기 위한 기기창도 세웠다.

3) 1880년대 초반 정부는 일본에 이어 (   )에 영선사라는 이름으로 유학생을 보내 무기 제조법을 배워오게 했다. 또한 미국과 조약을 체결한 이후 (   )라는 사절단을 보냈다.

4) 양반 유생들은 서양을 반대하는 (   ) 운동을 펼쳤다. 이는 외세의 침략에 맞서 (   ) 질서를 지키려는 운동이었다.

5) 정부는 별기군 병사에게는 신식 무기를 지급하고 높은 급료를 준 반면, 무위영과 장어영 병사들에게는 1년이 넘도록 급료를 주지 않았고 이에 분노한 구식 군인들이 (   )을 일으켰다.

6) 임오군란으로 조선은 (   )에 지원을 요청했다. 청은 조선에 군대를 파견해 구식 군인들이 따르는 흥선 대원군을 붙잡아 (   )으로 끌고 갔다. 이후 청은 조선의 내정에 깊숙이 개입했다.

갑신정변은 왜 농민의 지지를 받지 못했을까?: 개화파의 분열과 갑신정변

1) 임오군란 이후 국내 개화파는 두 개로 나뉘었다. 서양의 기술만 받아들이자는 김홍집, 어윤중, 김윤식 중심의 (   )와 일본의 메이지 유신과 같은 근본적 개혁이 필요하다고 주장하는 (   )이다.

2) 급진 개화파는 (   )의 개국 축하 연회가 열리는 날, 별관에 화재를 내, 온건 개화파 요인들을 암살하고 정권을 장악하는 (   )을 일으켰다.

3) 급진 개화파는 갑신정변을 일으킨 후 새 정부를 구성해 14조로 된 개혁 정강을 발표했지만 (   )이 군대를 투입해 (   ) 만에 해체되었다.

4) 갑신정변은 위한 최초의 정치 개혁운동이었지만, 백성들이 원했던 (   ) 개혁 내용이 없었다. 또한 청을 몰아내려 하면서 (   )을 끌어들인 것이 잘못이었다.

농민의 자치를 실현한 조직의 이름이 뭘까?: 동학 농민 운동과 청일 전쟁

1) 개항 이후 일본을 비롯한 외국 열강들의 (　　　　　) 침략이 시작됐다. 정부는 개화 정책을 추진하는 데 필요한 돈을 (　　　　)으로 충당했고 농민의 불만은 커져 갔다.

2) 1984년 전라북도 고부 군수 조병갑의 횡포를 참다못한 (　　　　　)은 농민군과 함께 봉기했다. 전봉준이 이끈 농민군은 고부 관아를 점령하고 황토현과 황룡촌에서 관군을 격파했다. 그 후 (　　　　　)까지 점령했다.

3) 정부가 (　　)에 도움을 요청하자 (　　　　　)에 따라 (　　　　)도 군대를 보냈다. 농민군은 조선 땅에서 청과 일본이 전쟁을 벌이는 것을 원치 않아 (　　　　　)을 체결하고 해산했다.

4) 정부는 전라도 전역에 농민의 자치 조직인 (　　　　　)를 설치해 치안을 담당하면서 폐정 개혁안을 실천해 나갔다.

5) 일본 군대는 자기 나라로 돌아가지 않고 (　　　　　)을 무단 점령한 뒤 조선의 정치에 간섭하기 시작했다. 일본은 (　　　　　　　)에서 승리한 후 시모노세키 조약을 체결하고 랴오둥반도, 펑후 제도, 타이완을 빼앗았다.

6) 청일 전쟁이 터진 후 동학 농민군이 (　　　) 봉기를 일으켰다. 수만 명의 농민군은 일본을 몰아내자며 (　　　)로 진격했다.

7) 농민군은 서울로 가는 길목인 공주 (　　　　　) 고개에서 일본군과 관군에게 크게 패했다. 이어 다른 동학 지도자들도 붙잡히고 전봉준이 처형되며 동학 농민 운동은 실패로 끝났다.

8) 동학 농민 운동은 실패했지만, 봉건적 질서를 극복해 탐관오리를 처벌하고 토지와 조세 정책을 개혁하려 한 (   ) 운동이라는 점에서 의미가 있다. 또한 청일 전쟁 후 민중이 중심이 되어 일본의 침략을 물리치려는 (   ) 민족 운동으로 발전했다. 반외세 투쟁 정신은 (   ) 운동으로 이어졌다.

(B) 양반과 천민의 신분 차별은 언제 철폐됐을까?: 갑오개혁과 을미개혁의 추진과 의의

1) 일본은 (   )을 앞세워 내각을 꾸리고 강제로 개혁을 추진했다. 새로운 정부 기구로 만들어진 (   )가 중심이 되어 단행한 근대적 개혁이 (   )이다.

2) 갑오개혁을 통해 조선이 (   )과 대등한 나라라는 사실을 밝히고, 국정과 (   )의 일을 분리했다.

3) 경제 분야 개혁에서 (   )으로 재정 업무를 일원화했다. 당시 전 세계적으로 쓰고 있던 (   ) 화폐제도도 도입했다.

4) 사회 분야에서는 (   ) 시험이 폐지되었다. 또 (   )도 법적으로 완전히 사라졌다. 과부가 다시 결혼하는 것을 허용하고, (   )을 금지했으며 죄인의 친척이란 이유로 함께 처벌받는 (   )를 폐지했다.

5) 일본은 군국기무처를 없애고 해외에 있던 (   )를 불러 김홍집과 함께 내각을 꾸리도록 했다. 이 개혁이 제2차 갑오개혁이었다.

6) 조선 창건 이후 지속한 (   )가 제2차 갑오개혁 때 폐지되었다. 내각은 개혁 방안을 담은 (   )를 만들었고, (   )을 반포했다.

7) 홍범 14조는 제1차 갑오개혁 내용이 대부분 담겨 있다. 조선이 자주국임을 선포했으며, (   )를 독립시킴으로써 행정과 사법을 완전히 분리했다. 그전까지 8

도였던 지방 행정 조직은 (   )로 개편했다.

8) 제2차 갑오개혁이 진행되는 동안 고종은 (   )를 발표했다. 이는 근대 교육에 맞게 학제를 확립하기 위해 수립한 것으로, 전국에 소학교, 중학교, 사범학교, 외국어 학교 등을 세웠다.

9) 일본의 간섭이 심해지자 고종은 (   )를 이용하기로 했다. 친일 내각을 이끈 박영효를 쫓아내고 친러파를 등용해 내각을 새로 꾸렸다. 그러자 일본이 조선과 러시아 사이의 관계를 끊으려고 명성 왕후를 시해하는 (   )을 일으켰다.

10) 일본은 김홍집을 불러들여 만든 친일 내각을 통해 (   )개혁을 추진했다. 이때 (   )을 단행하고 태양력이 사용되었다. 또한 소학교를 설치하고 종두법을 시행하는 조항도 있었다.

11) 조선 백성들은 을미사변과 단발령에 분노했고, 의병 운동이 전국적으로 일어났다. (   ) 유생이 의병 운동에 많이 참여했는데, 이때 의병을 (   )이라 불렀다.

12) 을미사변 이후 왕궁에 갇혀 있던 (   )이 러시아 공사관으로 피신했다. 이 사건을 (   )이라고 한다. 이후 고종이 개혁의 무효를 선언함으로써 을미개혁은 중단되었다.

日 영은문 자리에 독립문을 지은 까닭은?: 대한 제국의 탄생과 독립 협회의 활동

1) 아관 파천 이후 러시아와 서구 열강들은 조선에 많은 (   )을 요구했다. 러시아는 두만강, 압록강, 울릉도의 삼림을 채벌할 수 있는 권리를 가져갔다. (   )은 한양의 전차 · 전화 · 전등 부설권과 경인선 부설권을 가져갔고, (   )는 경의선 부설권을 가져갔다.

2) 나중에 (　　　)이 미국과 프랑스로부터 경인선과 경의선 부설권을 사서 조선의 모든 철도 사업을 장악했다.

3) 1890년대 후반에는 전국의 (　　　)도 잇달아 열강의 손에 들어갔다.

4) 갑신정변에 실패한 후 미국으로 망명을 떠났던 급진 개화파 (　　　)이 독립 협회를 만들었다. 서재필은 먼저 《(　　　　)》을 창간했다. 이는 최초의 민간 신문이자 한글로 된 첫 신문이다.

5) 독립 협회는 영은문이 있던 자리에 (　　　)을 짓기 시작했다. 영은문은 중국 사신을 맞던 곳으로, 조선이 더 이상 중국을 사대하지 않으며 독립국임을 만방에 알리기 위해 세운 것이다.

6) 독립 협회는 고종의 환궁을 요구했고 고종은 1년 만에 (　　　)으로 환궁했다. 추락한 조선의 위신을 높이기 위해 (　　　　)의 건국을 선포하고 고종은 황제에 등극했다. 이후 대한 제국은 (　　　　)을 7년 동안 이어갔다.

7) 독립 협회는 서울 종로에서 (　　　　　)를 열고 러시아를 비롯한 열강들을 규탄했다. 만민 공동회는 누구나 참여할 수 있는 최초의 근대적 (　　) 집회였다.

8) 독립 협회는 만민 공동회에 정부 관리들도 참석한 (　　　　　)를 통해 (　　　　)라는 개혁안을 제시했다. 이 개혁안은 열강에 휘둘리지 않는 (　　　) 외교를 펼치고, 예산을 공개해 국정을 투명하게 하며 내각의 자문 기구인 (　　　)을 개편하자는 등의 내용을 담았다.

9) 보수 세력이 독립 협회가 황제를 끌어내리고 (　　　)을 실시하려 한다고 모함해 고종 황제는 독립 협회를 탄압했다. 결국 고종 황제는 보부상들의 단체인 (　　　　)를 동원해 독립 협회를 해체시켰다.

10) 독립 협회를 해산시킨 후 고종 황제는 광무개혁에 속도를 냈다. 옛 제도가 근본이며 새 제도는 참고한다는 (　　　　　　　)의 이념에 충실하면서 통치 체제를 정비했다.

11) 광무개혁에 따라 섬유, 운수 등 민간 회사들이 생겨났고, 관료와 상인이 함께 은행도 만들었다. 또한 토지 소유권을 인정하는 문서인 (　　　　)를 발급했다.

12) 광무개혁으로 전차와 철도, 전화 등 서양의 (　　　　) 수단도 적극적으로 받아들였다. 또한 외국에 유학생을 보내 근대 (　　　　) 기술을 배우도록 했으며 정부가 주도해 (　　　　)도 세웠다.

🅔 한일 병합 조약이 무효인 까닭은?: 대한 제국의 위기와 강제적 한일 병합

1) 아관 파천 이후 대한 제국에 대한 (　　　　　　)의 영향력이 커지자 (　　　　)은 만주와 한반도를 러시아에 빼앗길까 봐 (　　　　)과 동맹을 체결했다. 이어 러시아 함대가 있는 뤼순항을 기습 공격하며 (　　　　　　　　)이 시작됐다.

2) 당시 고종 황제는 일본과 러시아, 어느 쪽의 편도 들지 않겠다는 (　　　　)을 선언했다. 하지만 일본은 뤼순을 공격함과 동시에 서울로 군대를 보내 (　　　　　　)을 점령했다. 이어 대한 제국 정부를 위협해 (　　　　　　　　　　)를 체결했다.

3) 일본이 전쟁에서 승리할 게 확실해지자 일본은 대한 제국을 압박해 추가로 외국인 용빙 협정을 체결했다. 외국인 고문을 대한 제국 정부에 두는 내용의 (　　　　　　　　　　)이었다.

4) 이후 일본은 미국과 가쓰라 - 태프트 밀약을 체결했다. 일본이 미국의 (　　　　　　) 지배를 인정하는 대신 미국도 일본의 (　　　　　　) 지배를 묵인한다는 내용이었다. 또 영국과는 2차 영일 동맹을 맺었다.

5) (　　　　　)가 항복하고 두 나라는 미국 포츠머스에서 회담을 가졌다. 이때 체결한 (　　　　　　) 조약에서 러시아는 일본이 한반도에서 우월적 지위를 가지는 것을 인정했다.

6) 일본은 대한 제국을 (　　　　　)으로 지배하기 위해 대한 제국의 (　　　) 개혁을 추진했다. 또 차관도 제공했다. 대한 제국이 막대한 (　　)을 지게 함으로써 일본에 종속하게 하려는 의도였다. 나중에 이 차관을 갚자는 국민 저항 운동인 (　　　　　　) 이 일어났다.

7) 일본은 (　　　　　　　　　　)를 대한 제국에 파견해 친일파 대신들을 포섭한 뒤 군대를 동원해 황궁을 포위했다. 이어 고종 황제가 끝까지 반대했음에도 불구하고 강제로 제2차 한일 협약을 체결했다. 이는 (　　　　　) 또는 (　　　　　)이라고도 한다.

8) 을사늑약을 통해 일본은 대한 제국의 (　　　　　)을 빼앗았다. 대한 제국은 국제 사회에서 독립국의 지위를 잃게 되었다. 일본은 (　　　　　)를 설치해 통감이 대한 제국을 통치하도록 했다.

9) 을사늑약을 체결했다는 소식이 알려지자 각계각층에서 (　　　) 운동이 일어났다. 언론인 장지연은 《(　　　　　　　)》에 '이날을 목 놓아 통곡한다'라는 뜻의 《(　　　　　　　　　　　)》이란 사설을 실었다.

10) 고종 황제는 을사늑약이 (　　　)란 점을 국제 사회에 호소하기로 했다. 먼저 미국에 도움을 요청했고, 네덜란드 (　　　　　)에서 열리는 만국 평화 회의에 이준, 이상설, 이위종을 (　　　)로 파견했다. 하지만 일본의 반대로 특사는 회의에 참석하지 못했고, 일본은 이 일에 대한 책임을 물어 고종 황제를 강제로 끌어내리고 (　　　)을 왕위에 올렸다.

11) 일본은 순종을 협박해 한일 신협약을 체결했다. 이는 ( )이라고도 하고, 제3차 한일 협약이라고도 했다. 이 조약을 통해 일본 통감의 권한을 더욱 강화했다. 한국인 대신 밑에는 일본인 차관을 두는 ( ) 정치를 시행했다.

12) 일본은 한국인 군대를 해산한 데 이어 대한 제국의 경찰권, 사법권까지 빼앗았다. 신문법과 보안법을 만들어 언론 · 출판 · 집회 · 결사의 자유도 빼앗았다. 이어 친일파 대신들을 앞세워 ( )을 체결하자고 했다.

13) 순종은 끝까지 한일 병합 조약에 서명하지 않았지만, 총리대신 ( )이 황제를 대신해 조약에 서명했다. 순종은 ( ) 칭호를 빼앗겼고, 왕으로 강등되었으며 우리 민족은 ( )로 접어들게 되었다.

🅑 항일 의병이 만주로 이동한 까닭은?: 항일 무장 투쟁과 애국 계몽 운동

1) 을미사변과 단발령에 반발해 일어난 ( )은 고종이 아관 파천 이후 단발령을 철회하면서 자신 해산했다.

2) 을사조약 이후 일어난 ( )은 다양한 계층이 참여했다. 양반 유생 ( )은 전라도에서, 평민 의병장 ( )은 태백산맥 일대에서, 관리 출신 민종식은 충청도에서 의병 부대를 지휘했다.

3) 고종이 강제 퇴위하고 군대까지 해산되자 다시 항일 의병 운동이 시작되었다. 세 번째 일어난 이 항일 의병을 ( )이라고 했다. 이 정미의병에는 해산된 군인들까지 가세했다.

4) 의병 운동이 전국적으로 확산하면서 의병장들이 모여 통일된 항일 조직인 ( )을 만들었다.

5) 1909년부터는 일본이 대대적인 토벌 작전을 시작하면서 국내에서 의병 활동을 할 수 없게 된 의병들은 (   )와 (   )로 이동해 투쟁했다. 이들은 나중에 (   )으로 활동했다.

6) 나인영과 오기호는 을사오적 암살단인 (   )를 조직했고, 전명운과 장인환은 제1차 한일 협약 때 일본이 외교 고문으로 임명되고 일본의 조선 지배를 옹호한 미국인 (   )을 저격해 사살했다.

7) (   )은 초대 통감인 이토 히로부미를 중국 만주 (   ) 역에서 사살했다. 일본이 제국주의적 속성을 버리고 한 · 중 · 일 삼국이 평화롭게 공존해야 한다는 (   )을 주장했다.

8) 국민의 민족의식을 깨우거나 근대 사상을 심어 주며 교육과 산업을 육성해 우리의 실력을 키우는 (   )도 펼쳐졌다. 대표적인 비밀 결사가 (   )였다.

9) 신민회는 (   )를 계승했으며 (   )을 회복해 독립을 이루는 것, 공화정을 수립하는 것이 목표였다. 신민회는 우선 애국 계몽 운동에 힘썼다.

10) 신민회는 우리 민족 자본을 육성하려고 (   )이라는 출판 회사도 운영했다. 민족 교육을 실시하기 위해 (   )는 평양에 대성 학교를 세웠고, 이승훈은 평안북도에 (   )를 세웠다.

11) 일본의 탄압이 심해지자 신민회는 (   ) 삼원보로 옮겨 독립운동 기지를 만들었다. 대표적인 것이 이회영이 만주 삼원보에 세운 (   )이다.

12) 일본은 한국을 병합한 후 신민회 회원들이 총독을 암살하려 했다며 잡아들이기 시작했다. 이때 105명이 징역형을 받아 이 사건을 (   )이라 하고, 이 사건으로 신민회는 해체되었다.

目 독도의 날이 10월 25일인 까닭은?: 일본의 독도 영유권 주장과 역사 왜곡

1) 일본은 러일 전쟁 도중에 (　　　　)를 강탈했다. 일본은 지금도 독도를 '다케시마'라 부르며 일본 영토라 주장하고 있다.

2) 러일 전쟁이 터지자 일본은 (　　　　　　　　　)를 강요했다. 이 조약 내용 중 '일본이 군사적으로 필요한 경우 우리 땅을 언제든지 사용할 수 있다.'라는 조항을 악용해 러시아 함대 감시를 위한 망루를 (　　　　　)에 설치했다. 또한 독도에도 망루를 설치한다는 계획을 세웠다.

3) 이때 일본은 독도가 주인이 없는 땅이라며 시마네현에 편입시켰다. 하지만 대한 제국 정부는 이미 5년 전에 독도가 우리 땅임을 밝히는 (　　　　　　　　　)를 반포하고 대한 제국 관보에도 실었었다.

4) (　　)월 (　　)일은 독도의 날로 칙령 제41호의 발표를 기념하기 위해 정해진 것이다.

5) 독도가 우리 땅이라는 사실을 입증하는 역사 기록은 많다. 《삼국사기》에 따르면, 신라 지증왕의 명령을 받은 이사부가 (　　　　　)을 정벌했을 때 우산국이 조공을 바쳤는데, 오늘날의 울릉도와 독도를 포함한 주변의 섬을 아우르는 나라였다.

6) 15세기 편찬된 《고려사》와 한반도의 지역별 정보를 담은 지리서 《(　　　　　　　　)》에도 울릉도와 독도에 대한 기록이 있다. 또한 16세기 〈팔도총도〉와 18세기 〈(　　　　　　)〉에도 울릉도와 독도가 우리 영토로 표시되어 있다.

7) 18세기 (　　　　) 사람들이 그린 〈조선왕국전도〉나 〈일본전도〉에도 울릉도와 독도는 조선의 영토로 표기되어 있다. 심지어 18세기 중반 (　　　　)의 학자 하야시 시헤이가 만든 〈삼국접양지도〉에도 울릉도와 독도가 조선의 영토로 되어 있다.

8) 숙종 시절 어부 (   )은 독도 주변에서 고기잡이를 하는 일본 어선을 붙잡아 따졌고, 일본으로 건너가 울릉도와 독도가 우리 땅임을 주장했다. 에도 막부는 안용복의 주장에 동의하며 "독도는 조선 땅이다."라는 사실을 문서로 공식 인정했다.

3. 다음 내용과 관련 있는 조약의 이름을 쓰고 조약 내용을 설명해 보자.

• 1876년	• 운요호 사건	• 불평등 조약

20-1장 내용을 한눈에 정리해 보자.

한눈에 보는 흥선 대원군의 통치

1. 고종 즉위에 따라 권력을 잡은 흥선 대원군의 국내 개혁 정책에 대해 알아보자.

통치 체제 정비

- ㉠(   ) 축소, 의정부 권한 강화함.
- 법질서 바로잡음.:《대전회통》 펴냄.
- 당파 · 붕당 가리지 않고 인재 등용함.
- ㉡(   ) 철폐: 47곳만 남겨둠.

민생 안정 개혁과 왕실 권위

- ㉢(   ) 시행: 양반, 상민 구분 없이 군포 내게 함.
- 사창제 실시: 환곡 제도 개혁, 탐관오리 수탈 줄임.
- ㉣(   ) 중건, 당백전 발행, 원납전 거둠.

대외 정책

- 통상 수교 거부 정책 추진: ㉤(   ) 세움.
- 천주교 탄압: 병인박해

2. 흥선 대원군의 집권이나 정책에 대립하는 두 주장을 완성해 보자.

흥선 대원군

"주상이 아직 미숙하여 내가 섭정하겠다."
"서양 세력과는 통상하지 않겠다."

㉠(   ): 흥선 대원군은 물러나고 고종께서 직접 통치해야 합니다.

고종: ㉡(   )를 무조건 거부하는 것은 옳지 않습니다.

⊞ 저물어가는 조선의 역사

1. 개항부터 갑신정변까지, 1870~80년대 역사를 알아보자.

㉠(　　　) 사건 (1875년)	㉡(　　　) 조약 (1876년)	㉤(　　　　) (1882년)	갑신정변 (1884년)
일본 군함을 조선 병사들이 제지하는 과정에서 충돌한 사건	일본이 운요호 사건 구실 삼아 조선에 통상 수교 강요, 조약 체결함.	정부가 설립한 신식 군대인 ㉥(　　　)에 비해 구식 군대 차별함.	㉧(　　　　　)가 근본적 개혁 주장하며, 일본의 재정과 군대 지원 약속받고 정변 계획함.
	최초 근대적 조약, ㉢(　　　) 조약	구식 군인들 폭동 일으킴. 하층민들 가담해 일본 공사관으로 진격함 .	• 우정총국 개국 축하연 중 정변 일으킴. • 온건 개화파 암살, 정권 장악함.
	• 부산, 원산, 제물포 개방 • ㉣(　　　)에게 치외법권 허용함.	• 조선 정부가 ㉦(　) 에 지원 요청함. • 청, 조선에 군대 파견해 진압하고 조청 상민 수륙 무역 장정 체결함.	• 새 정부 구성, 개혁 정강 공표함. – 신분제 폐지, 입헌 군주제 도입 등
	• 개화 정책 추진: 통리기무아문 총괄 • 미국, 청과 조약 체결함.		• 청 군대 투입, ㉨(　) 만에 실패, 새 정부 해체됨.
	• 수신사, 영선사, 보빙사 파견함. • 근대적 기관 창설: 박문국, 전환국, 기기창 등	• 일본의 배상 요구에 ㉨(　　　) 조약 체결하고 배상금 지불함.	• 일본의 배상 요구에 한성 조약 체결, 배상 • 일본, 청 사이 ㉪(　　　　) 체결함.

2. 1894~1895년에 일어난 주요 사건을 알아보자.

ⓛ(　　) 전쟁: 일본의 승리
(1894년 6월~1895년 4월)

㉠(　　　　) 1차 봉기 (1894년 3월~5월)	㉢(　　)개혁 (1894년 7월)	동학 농민 운동 2차 봉기 (1894년 9월~11월)	㉣(　　　) (1895년 8월)
	• 일본 군대, 경복궁 점령 후 강제 개혁 추진함. – 과거 시험 폐지, ㉤(　　)제도 폐지 등(1차) – 의정부 폐지, 교육입국 조서 수립(2차)		• 고종이 ㉪(　　　) 등용 내각 구성 → 일본, 조선과 러시아 관계 끊으려 ㉫(　　) 시해함. • 일본, 을미개혁 추진함. – ㉬(　　　) 단행, 태양력 사용 등

• 배경: 외국 열강들의 경제적 침략, 개화 정책 추진으로 인해 농민들 세금 부담 증가, 탐관오리의 수탈 등 농민들의 불만 커짐.

• 전개 과정:
– 1차 봉기: 전라북도 고부 군수 조병갑의 학정에 동학 접주 ㉥(　　　), 농민군과 함께 봉기 → 정부의 봉기 지도자 탄압에 무장에서 다시 봉기, 농민군 4대 강령 발표 → 고부 관아 점령 → ㉦(　　　) 점령 → 조선 정부, 청에 도움 요청 → 톈진 조약에 따라 청과 일본, 군대 보냄. → 농민군, 정부와 ㉧(　　　　) 체결, 해산 → 전라도 전역에 집강소 설치, 폐정 개혁안 실천함.
– 2차 봉기: 일본군, ㉨(　　　) 점령 후 조선 정치 간섭, 갑오개혁 시행, 청일 전쟁 일으킴. → 동학 농민군 다시 봉기 → 농민군, 서울로 진격함. → 공주 ㉩(　　　) 전투에서 농민군이 크게 패함. → 전봉준 처형되며 농민 운동 실패로 끝남.

3. 사건에 해당하는 내용을 연결하고 빈칸을 채우며 1896년부터 1910년 한일 합병 때까지 일어난 주요 사건을 알아보자.

ⓒ(   ): 일본의 승리 (1904년)

㉠( ) (1896년)	㉡( ) 설립 (1896년)	대한 제국 선포, 광무 개혁 (1897년)	㉣( ) (1905년)	헤이그 특사 파견 (1907년)	㉤( ) (1910년)

〈가〉
- 정부 지원 받아 설립한 민간단체
  - 《ⓗ(   )》 발행, 독립문 세움.
  - 고종의 환궁 요청함.
  - 만민 공동회 개최

〈나〉
- 러일 전쟁 승리한 일본이 사실상 한반도 지배를 인정받음.
- 일본이 제1차 한일 협약에 이어 제2차 한일 협약을 강압적으로 체결하며 대한 제국의 ⓢ(   ) 빼앗음.

〈마〉
- 고종 황제, 네덜란드 헤이그 ⓩ(   )에 특사 파견함.
- 일본이 특사 파견 책임 물어 고종 퇴위시킴.

〈다〉
- 을미사변 후 궁에 갇혀 있던 고종이 ⓞ(   ) 공사관으로 피신함.
- 아관 파천 후 고종이 을미개혁의 무효를 선언함.
- 러시아를 비롯해 서양 열강이 조선의 이권을 요구함.

〈라〉
- 고종의 환궁 이후 대한 제국의 건국 선포하고, 대대적인 개혁에 돌입
  - 근대적 헌법 선포
  - 지계 발급
  - 정부 주도 학교 설립
  - 전차, 철도, 전화 등 서양 통신 수단 들어옴.

〈바〉
- 일본이 순종 황제 협박해 한일 신협약 체결 후 차관 정치 시행함.
- 총리대신 이완용이 황제 대신 한일 합병 조약에 서명하며 ⓒ(   ) 시작됨.

한눈에 보기

병합 이전, 일제에 맞선 항일 투쟁

1. 개화 이후 일본에 맞선 의병들의 무력 투쟁 내용을 알아보자.

㉠(　　)의병 (1895)	• 을미사변과 단발령에 반발해 일어남. • 고종이 아관 파천 이후 단발령 철회하며 해산 권유에 해산함.
㉡(　　)의병 (1905)	• 을사조약 이후 다양한 계층이 참여하며 일어남. • 대표: 양반 유생 최익현, 관리 출신 민종식, 평민 신돌석
㉢(　　)의병 (1907)	• 고종의 강제 퇴위 후 군대 해산되자, 해산 군인들이 무장해 일본과 싸움. ⇒ 13도 창의군: 전국적으로 통일된 항일 조직. 통감부 공격하려 서울로 진격했지만, 목적을 이루지 못함.

→ • 1909년부터 일본의 토벌 작전에 국내 의병 투쟁 어려워져 ㉣(　　)와 연해주로 이동해 투쟁함. 이후 독립군으로 활동함.

2. 애국 계몽 운동을 전개한 신민회에 대해 알아보자.

목표	1. 국권 회복, 독립 2. 공화정 수립
활동	• 태극 서관 운영: 민족 자본 육성 목적의 출판 회사 • 학교 설립: ㉠(　　) 학교(안창호, 평양), 오산 학교(㉡(　　　), 평안북도) • 독립운동 기지 설립: ㉢(　　　　　)(이회영, 만주 삼원보)
해체	• 105인 사건(총독 암살 혐의로 체포)으로 해체됨.

그 당시 세계는?

19세기 중반, 청나라는 아편전쟁에 패해 홍콩을 영국에 할양하는 등 서양 열강에 온갖 이권을 빼앗겼다. 이후 근대화 운동을 진행하지만 큰 성과를 얻지 못했다. 한편 일본은 미국과 화친 조약을 체결한 후 메이지 정부가 수립되면서 메이지 유신을 시행해 개혁에 돌입했다. 이후 일본은 서양 열강을 따라 대외 팽창 정책을 추진하기 시작했다.

1. 본 책 245~249쪽을 참고하여 독도가 우리의 영토라는 역사적 근거들을 정리하고, 독도 영유권을 주장하는 일본 정부에 반성과 재발 방지를 촉구하는 글을 써 보자.

발단: 일본이 1904년 러일 전쟁을 준비하면서 조선과 맺은 한일 의정서에서, 일본이 군사적으로 필요할 경우 조선 땅을 언제든지 사용할 수 있다는 조항을 넣었다. 이때 일본이 러시아 함대를 감시하기 위해 울릉도와 독도에 망루를 설치하면서 독도를 "임자 없는 땅"이라며 시마네현에 편입시켰고 이후 지속적으로 일본의 땅이라고 주장하고 있다.

반론: 이에 독도가 우리의 영토라는 근거를 아래와 같이 제시하여 일본의 주장이 틀렸음을 밝히고자 한다.

1. 문헌에 기록된 우리 고유의 영토, 독도

증거 1. 《삼국사기》. 신라 지증왕의 명령을 받은 이사부가 (1) ______________________

____

증거 2. 15세기 《고려사》, 16세기 《신동국여지승람》에 울릉도와 독도에 대한 지역별 정보를 담음.

증거 3. 칙령 제 41호 반포, 1900년 10월 25일 대한 제국 관보

2. 지도에 나타난 우리 고유의 영토, 독도

증거 4, 5. 16세기 〈팔도총도〉, 18세기 〈동국지도〉

증거 6, 7. 유럽 사람들이 그린 〈조선왕국전도〉, 〈일본전도〉

증거 8. 〈삼국접양지도〉. 일본 학자 하야시 시헤이가 만든 지도로, (2) ______________

____

– 국제사회가 인정한 우리 고유의 영토, 독도

증거 9. 조선 숙종 때 안용복은 (3) ______________________________

____

증거 10. '맥아더 라인'에 따르면 (4) ______________________________

____

증거 11, 12. '연합국 최고 사령관 지령 677호', '지령 1033호'

◈ 일본 정부에 촉구한다.

실력 키우기

01. 다음 중 흥선대원군 집권 전 국내외 정세에 대한 설명으로 옳지 않은 것은?

① 삼정의 문란 ② 강력한 왕권 강화
③ 이양선의 등장 ④ 외세의 통상 요구
⑤ 전국 농민 봉기

02. 다음 중 흥선 대원군이 한 일로 볼 수 없는 것은?

① 비변사를 폐지하고 의정부 기능을 강화했다.
② 서양 세력을 격퇴한 것을 기념하여 척화비를 세웠다.
③ 국방을 강화하기 위해 신식 군대를 만들어 훈련시켰다.
④ 국가 재정을 확보하기 위해 서원의 토지와 노비를 몰수하였다.
⑤ 환곡을 사창제로 개혁하여 백성들의 삶을 안정화했다.

03. 다음 사건들이 일어난 순서대로 나열하시오.

• 갑오개혁	• 동학농민운동	• 갑신정변
• 임오군란	• 아관파천	• 을미의병
• 광무개혁	• 러일 전쟁	

실력 키우기

04. 독립 협회에 대한 설명으로 옳지 않은 것은?

① 공화정을 이루기 위해 자주독립을 주장하였다.

② 정부 대신까지 참석한 관민 공동회를 열었다.

③ 중국 사신을 맞던 자리에 독립문을 건립하였다.

④ 정부의 지원을 받아 독립신문을 창간하였다.

⑤ 근대적인 개혁 운동으로 국민을 참여시켰다.

05. 을사조약이 체결되자 의병을 일으켜 태백산맥 일대에서 활약한 의병장은?

① 최익현 ② 민영환 ③ 신돌석 ④ 서재필 ⑤ 홍범도

06. ㉠의 사건과 가장 관련 있는 것은?

> 지난 2011년 4월 13일은 역사적인 날이다. 드디어 프랑스 국립도서관에 보관 중이던 외규장각 도서 중 첫 번째 운송 분이 귀국한 데 이어, 4번째 마지막 운송 분인 외규장각 도서 297권이 같은 해 5월 27일, 1866년 (㉠)(으)로 고국 땅을 떠난 지 무려 145년 만에 조국의 품 안으로 되돌아왔다.
>
> – 2022. 3. 10 브레이크뉴스 중

① 제너럴셔먼호가 통상을 요구하며 횡포를 부렸다.

② 운요호가 강화도에 나타나 조선 해안가를 측량했다.

③ 강화도 조약을 맺고 3개 항을 개항하게 되었다.

④ 강화도 정족산성에서 끝까지 싸워 이겼다.

⑤ 조선은 청에 군대를 요청하여 연합군을 조성했다.

07. 다음 내용과 공통적으로 관련 있는 나라는?

• 삼국간섭　　• 거문도 사건　　• 아관파천

① 영국　② 프랑스　③ 미국　④ 일본　⑤ 러시아

08. 다음 지도의 사건으로 인한 결과로 알맞은 것은?

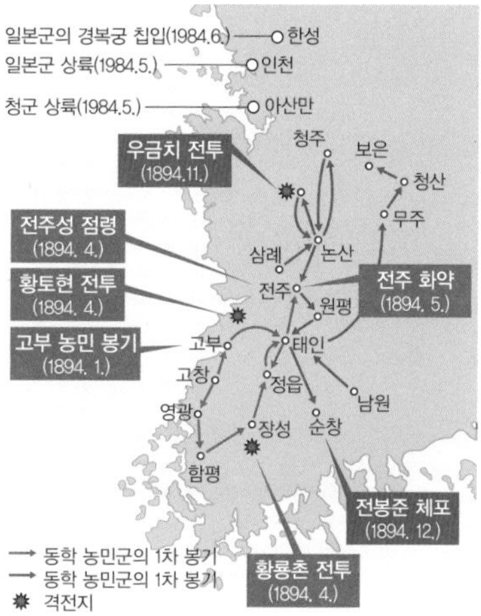

① 탐관오리의 비리와 학정이 시작되었다.

② 동학의 교세가 전국으로 확산되었다.

③ 조선에 주둔하던 군대가 철수하였다.

④ 신분 차별 폐지 등 일부 요구가 개혁에 반영되었다.

⑤ 청의 내정 간섭이 심해지고 일본에 대한 견제가 심해졌다.

실력 키우기

09. 다음 사건을 순서대로 나열하시오.

(가) 한일 신협약이 체결되었다.

(나) 일본이 고종을 강제 퇴위시켰다.

(다) 일본은 조선의 외교권을 빼앗았다.

(라) 가쓰라 - 태프트 밀약을 맺었다.

10. 다음과 같은 내용을 담은 개혁에 대한 설명으로 적절한 것은?

- 옛 제도가 근본이며 새 제도는 참고한다는 기본 이념을 바탕으로 했다.
- 토지 소유권을 인정하는 지계를 발급했다.
- 정부가 주도해 학교를 세웠다.
- 국가 재정을 늘리기 위해 양전 사업을 실시했다.

① 우금치 전투에서 승리한 후 백성들의 요구를 수용해 만들었다.

② 신분 차별 철폐, 조혼 금지, 과거제 폐지 등이 포함되어 있다.

③ 고종 황제가 폐위되는 빌미가 되었다.

④ 조선이 명백한 독립 국가임을 선포하면서 내세운 개혁이다.

⑤ 연호로 '건양'을 사용했고 이에 반대하는 의병이 일어났다.

Chapter 20-2 국민 국가의 수립 (3·1 운동부터 대한민국 정부 수립까지)

대한민국은 민주 공화국이다

책을 읽기 전에

다음 차례를 바탕으로 일제 강점기를 보내던 대한민국 사람들의 마음을 생각해 보자.

- 무단 통치와 3·1 운동
- 대한민국 임시 정부의 수립
- 1920년대 국내 민족 운동
- 1920년대 국외 무장 독립 투쟁
- 1930~1940년대의 국내외 민족 운동
- 광복과 정부 수립을 위한 노력
- 대한민국 정부 수립

책을 읽으며

1. 3·1 운동부터 대한민국 정부 수립까지 내용을 읽으며 중요하다고 생각하는 부분에 밑줄 쳐 보자.

2. 부분별로 읽은 내용을 생각하며 빈칸을 채워 보자.

일제는 왜 한국인의 교육 기회를 박탈했을까?: 무단 통치와 3·1 운동

1) 일제는 대한 제국을 강제로 병합 후 ( )를 설치했다. 총독은 입법, 사법, 행정 등 삼권을 모두 장악했으며, 육군이나 해군 대장 출신이 총독에 임명되어 일제 강점기 내내 ( )이 통치했다.

2) 일본의 ( )이 치안을 담당했으며 한국의 독립운동가와 의병을 색출하는 업무를 맡았다.

3) 조선 총독부는 한국인의 언론 · 출판 · 집회 · 결사의 자유를 박탈하고 ( )을 꺾기 위해 제대로 된 교육의 기회도 주지 않았다.

4) 제1차 세계 대전 막바지 무렵, 미국의 윌슨 대통령은 ( )가 핵심인 '14개조안'을 발표했다. 이것에 맞춰 국내외에서 ( )이 본격화했다.

5) 중국 상하이의 신한청년당은 우리 민족의 독립 의지를 전 세계에 알리기 위해 파리 강화 회의에 김규식을 파견했고, 만주에서는 독립운동 지도자 39명이 모여 ( )을 했다. 일본 도쿄에서는 한국인 유학생 600여 명이 ( )을 했다.

6) 국내에서는 3월 1일 ( )명의 민족 대표가 서울 종로의 태화관에 모여 독립 선언서를 낭독했다. 탑골 공원에서는 학생들이 독립 선언서를 낭독하고 "( )"를 외치며 시위를 벌이기 시작했다.

7) 충청도 천안 아우내 장터에서는 이화 학당 출신 ( )이 만세 시위를 주도했고, 이후 서울 서대문 형무소에 끌려가 고문 후유증으로 숨졌다. 경기도 화성 ( )에서는 일제가 마을을 불태우고 주민들을 교회에 감금해 학살했다.

8) 3 · 1 운동은 전 세계에 우리 민족의 ( ) 의지를 알렸다. 또한 신분이나 계층, 남녀 관계없이 우리 민족 모두가 나선 ( )이었다.

왜 임시 정부는 상하이에 있었을까?: 대한민국 임시 정부의 수립

1) 3 · 1 운동이 끝난 직후 연해주 블라디보스토크에 대한 국민 의회가 세워졌다. 대한 국민 의회는 임시 정부 역할을 하겠다고 선언했고, 얼마 후 중국 (   )에 임시 정부가 탄생했다. 서울에서도 전국 13개 도의 대표가 모여 한성 정부를 만들었다.

2) 독립 운동가들은 여러 임시 정부를 하나로 통합하기로 하고 상하이에 임시 정부를 두기로 결정했다. 이렇게 해서 (   )가 탄생했다.

3) 대한민국 임시 정부는 우리 역사상 첫 (   ) 정부였다. 입법, 행정, 사법 등 (   )을 철저히 따랐고, 초대 대통령으로 (   )이 선출되었다.

4) 대한민국 임시 정부는 (   )를 조직해 정부의 명령을 전달하고, 정보를 취합했으며 독립운동에 쓸 (   )을 모았다.

5) (   )은 대한민국 임시 정부 교통부 산하에 둔 비밀 (   ) 조직으로, 국내 독립운동가 및 단체들과 연락했다.

6) 대한민국 임시 정부는 독립운동 소식을 전하기 위해 《(   )》을 간행했다. 이 밖에도 정부 이름으로 (   )를 발행해 독립운동 자금을 모으기도 했다.

7) 대한민국 임시 정부는 초기에 (   )에 주력했지만 큰 성과를 거두지 못했다. (   )을 주장하는 운동가들이 떠나고 국제사회에 한국을 위임 통치해 달라는 탄원서를 제출한 (   ) 대통령은 탄핵되었다.

광주 학생들은 어떤 구호를 외쳤을까?: 1920년대 국내 민족 운동

1) 3 · 1 운동 후 일제는 식민 지배 방식을 (　　　) 통치에서 (　　　) 통치로 바꿨다. 헌병 경찰을 없애고, 언론 · 출판 · 집회 · 결사의 자유도 일부 허용했다. 친일 단체를 적극 지원하고 지식인들을 (　　　　)로 만들려 했다.

2) 1920년대 (　　　　　　) 계열이 여러 민족 운동을 펼쳤다. 우리 민족 기업을 육성하자는 (　　　　　　　　　)을 비롯해 민족주의 계열의 지식인이 주도한 운동을 통틀어 실력 양성 운동이라고 했다.

3) 농민, 노동자, 도시 빈민 등을 위한 문맹 퇴치 운동도 활발하게 벌어졌다. 야학과 강습소를 만들어 한글을 가르쳤다. 이 운동은 (　　　　　　　) 운동으로 이어졌다.

4) (　　　　　　) 계열도 국내에서 성장하고 있었다. 조선 공산당이 결성되었고, 사회주의 관련 단체가 300개를 넘어설 정도로 세력이 커졌다. 민족주의 계열과 사회주의 계열이 손을 잡은 (　　　　　　　　　) 운동이 일어났다.

5) 1920년대 일부 민족주의 계열의 운동가들이 사회주의 계열과 손을 잡고 두 진영은 이념을 넘어 민족의 해방과 독립을 표방하며 (　　　　)를 창립했다.

6) 신간회의 초대 회장은 민족주의 계열의 (　　　　)가 맡았고, 국내 최대 규모의 정치 사회 단체로 성장했다. 수시로 강연회와 연설회를 열었다.

7) 신간회는 일제의 (　　　) 정책을 비판하며 민족의식을 고취시켰고, 농민 운동과 노동 운동도 활발했다.

8) 광주의 열차에서 일본 남학생이 한국 여학생을 희롱하는 사건이 발생했고, 경찰은 한국 학생만 처벌했다. 이에 광주 지역 학생들이 봉기해 (　　　　　　　) 운동이 일어났다.

9) 광주 학생 항일 운동은 빠른 속도로 확산됐고 신간회도 적극 지원했다. 결국 전국적인 (　　　　　　　) 운동으로 확산되었다.

일본이 간도 참변을 자행한 까닭은?: 1920년대 국외 무장 독립 투쟁

1) 1920년대 만주, 연해주 등에서도 독립운동이 활발히 일어났다. 3 · 1 운동 이후 비폭력 투쟁만으로는 독립을 얻을 수 없다는 생각과 함께 (　　　　　　　) 투쟁이 본격화됐다.

2) 3 · 1 운동이 터진 해, 만주 지린성에서 김원봉이 (　　　　　)이란 항일 무장 독립운동 단체를 설립했다. 의열단은 민족주의 사학자이며 독립운동가인 (　　　　　)가 쓴 〈조선 혁명 선언〉을 활동 지침으로 삼았다.

3) 의열단의 주요 임무는 (　　　　　　　　　　)를 비롯한 일제 식민 통치 기관을 파괴하고, 일본인 고위 관료나 친일파를 (　　　　)하는 것이었다.

4) (　　　　　　　　)은 다른 독립군 부대들과 함께 수시로 함경도 지방의 일본 병영이나 순찰소를 기습 공격했다. 약이 오른 일본군은 독립군의 근거지에 병력을 보냈지만, 홍범도 부대가 (　　　　　　　　　　)에서 대승을 거두었다.

5) 봉오동 전투에서 패한 일제는 만주에 병력을 파견해 독립군 토벌 작전을 펼쳤다. 하지만 백운평에서 (　　　　　)이 이끈 북로 군정서가 맞섰고, 완루구에서는 (　　　　　)의 대한 독립군이 맞섰다. 독립군 역사에서 최대 전적을 이룬 이 전투들을 통틀어 (　　　　　　　　　)라 했다.

6) 일제는 독립군 근거지를 토벌한다는 명목으로 간도의 한인 마을을 습격해 불을 지르고 학살해 우리 동포 4,000여 명이 목숨을 잃는 (　　　　　　　)이 일어났다.

7) 독립군은 더 이상 만주에 머물 수 없게 되어 (　　　　　)로 이동했지만, 소련 군대의 공격을 받아 많은 독립군이 죽거나 다치는 (　　　　　　　　)이 일어났다.

국민 학교란 단어가 일제 잔재인 까닭은?: 1930~1940년대의 국내외 민족 운동

1) 1930년대 일제는 (　　　　) 전쟁을 본격화했다. 만주 사변과 중일 전쟁, 하와이에 있는 미국 함대를 공격해 (　　　　　　　　)도 일으켰다.

2) 일제는 우리 민족의 전통과 문화를 뿌리 뽑고 민족성을 개조하려는 (　　　　　) 통치를 펼쳤다.

3) 일제는 한국인도 일본인과 똑같이 일왕의 백성이니 충성하라고 강요하는 (　　　　　) 정책도 추진했다. 일선 동조론, 내선일체를 강조했다. 또 신사 참배를 하게 하고 일왕이 있는 도쿄 쪽을 향해 절을 하도록 시켰다.

4) 또한 일제는 모든 한국인에게 일왕에게 충성을 다짐하는 (　　　　　　　)를 외우게 했고, 어린아이들이 다니는 소학교의 명칭을 황국 신민의 학교란 뜻의 (　　　)로 바꿨다.

5) 1930년대 이후 일제의 탄압이 심해지면서 국내 민족 운동은 약해졌고, 국외의 (　　　　　　　　) 활동이 활발했다.

6) 한인 애국단은 중국 상하이에 있는 대한민국 임시 정부의 (　　　)가 일제의 요인을 암살하기 위해 만들었다. (　　　　　)은 히로히토 일본 왕에게 폭탄을 투척했지만, 실패로 끝났다.

7) (　　　　　)이 상하이 훙커우 공원에서 폭탄을 투척해 일본군 대장이 폭사했고, 많은 일본 고위 인사들이 중상을 입었다.

한국광복군이 국내 진공 작전을 계획한 까닭은?: 광복과 정부 수립을 위한 노력

1) 1940년대로 접어든 후 대한민국 임시 정부는 (　　　　)에 정착해 조직을 정비하고 독립 이후를 준비하기 시작했다.

2) 대한민국 임시 정부는 (   )을 창설했다. 여기에 참여한 대표적인 단체가 김원봉이 이끄는 (   )였다.

3) 대한민국 임시 정부는 대한민국 건국 강령을 통해 광복 이후에 세울 민주 국가의 건국 원칙과 행동 방침 등을 구체적으로 명시했다. 단군의 (   ) 이념을 이어받으면서 정치, 경제, 교육의 균등을 뜻하는 삼균주의를 기본 정치 이념으로 했다. 또한 보통 선거를 통해 새로운 (   )을 건설한다는 점도 밝혔다.

4) 일제가 (   )을 일으킨 후 임시 정부는 한국광복군을 (   )의 일원으로 참전시켰다. (   )의 요청으로 인도와 미얀마 전선에도 투입되었다.

5) 연합국들은 제2차 세계 대전과 태평양 전쟁이 끝날 것을 확신하고 1943년 무렵부터 전쟁 후의 국제 질서를 바로잡기 위해 (   )을 잇따라 열었다.

6) 이집트 카이로에서 미국, 영국, 중국 정상이 모여 (   )을 갖고 우리 민족의 (   ) 문제를 처음으로 논의했다. 그 결과, 우리 민족의 독립을 국제 사회가 인정하기로 하고 카이로 선언을 통해 발표했다.

7) 제2차 세계 대전이 끝나기 직전, 미국, 영국, 소련 정상이 독일에서 (   )을 발표했다. 우리 민족의 독립을 국제 사회가 확인한 것이었다.

8) 국내의 많은 민족 지도자들이 일제의 패망을 예견하고 여운형을 중심으로 비밀리에 (   )을 만들었다.

9) 조선 건국 동맹의 강령은 (   )를 몰아내는 것, 우리 민족의 자유와 독립을 회복하는 것, 민주 국가를 건설하는 것으로 대한민국 임시 정부의 강령과 비슷하다.

10) 1945년 8월 15일 일본의 항복으로 우리 민족은 (   )을 맞이했다.

11) 광복 이후 조선 건국 동맹은 (   )로 개편하고 본격적인 활동에 들어갔다. 하지만 북위 38도선을 경계로 북쪽을 (   ), 남쪽을 (   )이 점령하면서 조선 건국 준비 위원회의 활동은 중단되었다,

12) 광복 이후 소련 모스크바에서 한반도 문제를 논의하기 위해 미국, 영국, 소련의 (   )가 열렸다. 이 회의에서 한국에 민주주의 임시 정부를 수립하되, 미소 공동 위원회가 맡기로 결정했다. 또 미국, 영국, 중국, 소련 4개국이 최대 5년 동안 (   ) 통치를 실시하기로 했다.

B 남한에서만 총선거를 실시한 까닭은?: 대한민국 정부 수립

1) 한국의 임시 정부 수립 문제를 두고 좌익과 우익 진영의 대립이 격렬해지고 2차 미소 공동 위원회에서도 성과를 내지 못하게 되자 (   )은 이 문제를 (   )에 상정했다.

2) 국제 연합은 "인구 비례에 따라 (   )를 실시해 통일 정부를 수립한다."라고 결의했다. 하지만 소련과 북한은 이 결정을 거부했다. 이 때문에 김구와 김규식이 북한의 김일성을 만나 (   )을 가졌지만, 성과를 거두지 못했고 남한 단독 선거가 결정됐다.

3) 제주에서는 남한 단독 선거 결정을 반대하는 반란인 (   ) 사건이 일어났다. 미군정이 반란을 진압하는 과정에서 평범한 국민들이 희생되었다.

4) (   )는 국제 연합의 감시하에 치러졌으며, 당시 21세 이상의 성인이면 투표가 가능했다. 선거 결과, 전국에서 200명의 국회의원을 선출했고, 이들은 (   )를 구성했다.

5) 제헌 국회는 국호를 (   )으로 확정했고 대한민국 임시 정부의 독립 정신을 계승한 (   )을 만들었다. 우리나라가 대통령 중심제의 민주 공화정 체제임을 밝혔다.

6) 국회에서는 내각 구성을 위해 (   )을 초대 대통령으로, 이시영을 부통령으로 선출했다. 대한민국 정부 수립을 선포한 이후 북한에서도 조선 인민 민주주의 공화국이 수립되었다.

3. 다음 사건들을 순서대로 배열해 보자.

보기	
㉠ 제헌 국회 구성	㉡ 조선 인민 민주주의 공화국 수립
㉢ 남북한 총선거 실시 결의	㉣ 대한민국 정부 수립

20-2장 내용을 한눈에 정리해 보자.

일제 강점기, 일제의 식민 통치

1. 대한 제국 병합 후 실시한 일제의 무단 통치 내용을 알아보자.

㉠(   ) 설치

- 임명된 총독이 삼권 장악함.
- 총독: 일본 육군이나 해군 대장 출신 임명, 군인이 식민 통치함.
- 한국인의 언론 · 출판 · 집회 · 결사의 자유 박탈: 모든 정치 활동 금지함.

㉡(   )제 실시

- 치안 업무
- 독립운동가 · 의병 색출

2. 3.1운동 전후 일제의 통치에 맞선 국내외 독립 투쟁을 정리해 보자.

배경	• ㉠( )(1918년): 제1차 세계 대전 중 미국의 윌슨 대통령이 발표한 '14개 조안'의 핵심 내용
국외 독립 투쟁	• 상하이: 신한청년당, 파리 강화 회의에 김규식 파견 • 만주: 독립운동 지도자 39명의 대한 독립 선언서 발표 • ㉡( ): 한국인 유학생 600여 명이 독립 선언서 발표(2.8 독립 선언, 1919년)

⬇

국내 독립 투쟁	• 3.1운동(1919년): ㉢( ) 황제의 인산일에 맞춰 거사 계획. 이후 날짜 변경함. – 민족 대표들, ㉣( ) 낭독 후 경찰 출두 – 탑골 공원에서 학생들이 독립 선언서 낭독 후 만세 시위 시작. 시민들 가세함. – 전국 확산. 도농 · 남녀노소 불문 시위에 참여함. – 만주, 연해주, 일본, 미국 등 해외 확산함. ⇒ 일제, 헌병 경찰과 군대 투입 무력 진압 • ㉤( ) 시위: 마을 불태워지고 주민들 교회에 감금, 학살됨. • 1,500회 이상의 만세 시위(1919년 3~5월). 200만 명 이상 시위 참여함.

Ⓑ 대한민국 임시 정부의 수립과 활동

1. 답을 완성하며 대한민국 임시 정부에 대해 알아보자.

Q: 임시 정부가 세워지게 된 배경은 무엇인가?

A:

– ㉠(　　　)이 독립으로 이어지지 못한 원인 중 하나로 체계적 지도부가 없었다는 평가

– 지속적으로 싸우려면 국내외 독립운동을 지휘할 지도부가 필요하다는 사실 깨달음.

Q: 임시 정부의 수립 과정을 설명하면?

A: 연해주, 상하이, 서울 세 곳에서 거의 동시에 임시 정부 세워짐.→서울의 ㉡(　　　　) 계승하되, ㉢(　　　)에 통합 임시 정부 두기로 결정함.: 대한민국 임시 정부 탄생

Q: 대한민국 임시 정부의 체제를 설명하면?

A :

– 우리 역사상 첫 ㉣(　　　　　) 정부

– 삼권 분립: 입법(임시 의정원), 행정(국무원), 사법(법원)

– 초대 대통령 ㉤(　　　), 국무총리 이동휘 선출됨.

Q: 대한민국 임시 정부는 수립된 후 어떤 활동을 하였는가?

A :

– 연통제(비밀 행정 조직), 교통국(교통부 산하 비밀 연락 조직): 정부 명령 전달, 정보 취합, 군자금 모금, 국내 독립운동가들과 연락함.

– 구미 위원부(미국 워싱턴), 파리 위원부(프랑스 파리) 등 외교 기관 건립, 우리 독립의 필요성 알림.

– 파리 강화 회의 참석 독립 청원서 제출(김규식), 스위스 만국 사회당 대회 참석 한국 독립 승인 결의안 통과 독려함(조소앙).

– 《㉥(　　　　)》 간행, 독립 공채 발행 독립운동 자금 모금

Q: 대한민국 임시 정부의 활동이 수월하게 이루어지지 못한 이유와 이후 임시 정부 활동에 대해 설명하면?

A :

• 활동 수월하지 못한 이유:

– 일제의 심한 감시와 탄압: ㉦(　　　)와 교통국 발각됨.

– 외교 활동도 큰 성과 얻지 못함.: ㉧(　　　)의 외면

• 독립운동 방법에 대해 갈등 커져 국민 대표 회의 열렸으나 의견 차이 좁히지 못하고, 무장 투쟁 주장하는 운동가들 떠남. 이승만 대통령은 탄핵됨.

• 김구, 이시영, 이동녕 등 주축이 되어 지속적으로 투쟁. 일제 탄압 피해 정부 청사 여섯 번 옮김.

일제의 문화 통치와 민족 운동

1. 무단 통치에서 문화 통치로 바뀐 일제의 식민 지배 방식을 알아보자.

표면적으로는 ㉠(　　　　)
- 헌병 경찰 폐지
- 언론 · 출판 · 집회 · 결사의 자유 일부 허용

실제로는 ㉡(　　　　)
- 친일 단체 적극 지원, 친일파 양성, 민족을 이간질하려 함.

2. 일제의 문화 통치 시기의 국내 민족 운동에 대해 정리해 보자.

실력 양성 운동	• 민족주의 계열의 지식인이 주도한 운동 – ㉠(　　　　): 우리 힘을 키워 독립을 이루자는 경제 운동 – 민립 대학 설립 운동: 이상재 중심 한국인이 세운 대학 만들기 – ㉡(　　　　) 운동: 야학과 강습소 만들어 한글 가르침. 농촌 계몽 운동으로 이어짐.
㉢(　　　　) (1926년)	• 민족주의 계열과 사회주의 계열 함께 한 만세 운동 • ㉣(　　)의 국장일에 맞추어 계획, 전개함. • 종교 지도자, 사회주의자, 학생, 사회주의 계열 등 각계각층 참여함. ⇒ 전국적으로 퍼지지 못했으나, 침체했던 항일 운동에 불 지핌.
㉤(　　　) 활동	• 일부 민족주의자 계열, 사회주의 계열 손잡고 창립. ㉥(　　)을 넘어 민족 해방과 독립 표방함. • 초대 회장: 민족주의 계열 ㉦(　　　) • 여성 단체인 근우회 창립 • 국내 최대 규모 정치 사회 단체, 강연회와 연설회 개최, 일제의 식민 정책 비판, 민족의식 고취, 농민 운동과 노동 운동 지원함.
㉧(　　　　) (1929년)	• 광주에서 한일 학생들 사이 벌어진 집단 싸움이 알려지며 한국 학생들이 봉기함. • 신간회의 지원, 다른 학생 단체, 사회단체도 뛰어들어 전국적인 항일 민족 운동으로 확산됨. ⇒ 시위 주도 학생 등 약 580명 퇴학당함. ㉨(　　　) 해체됨.

3. 1920년대 국외에서 일어난 무장 독립 투쟁에 대해 알아보자.

㉠(　　)

- 만주 지린성에서 ㉡(　　　)이 항일 무장 독립운동 단체로 설립함(1919년).
- ㉢(　　　)가 쓴 〈조선 혁명 선언〉을 활동 지침으로 삼음.
- 주요 임무: 일제 시민 통치 기관 파괴, 일본 고위 관료나 친일파 암살함.
- 활동 인물: 박재혁, 김익상, 김상옥, 나석주 등

㉣(　　　　　)

- 사냥꾼 출신 의병장 ㉤(　　　)가 이끎.
- 다른 독립군 부대들과 함경도 지방 일본 병영, 순찰소 기습 공격함.
- 독립군 연합 부대와 함께 ㉥(　　　) 전투에서 대승을 거둠(1920년).

㉦(　　　　　)

- 1919년 만주에서 설립됨.
- ㉧(　　　)이 조직과 훈련을 담당함.
- 공식 명칭은 '대한 군정서'임.

㉨(　　　　　　)(1920년)

봉오동 전투에 패한 일본군이 2만 병력을 만주에 파견해 대대적인 독립군 토벌 작전 시작함. → 백운평에서 김좌진의 북로 군정서가 일본군 전위 부대 200여 명 사살함. → 완루구에서 홍범도의 대한 독립군, 일본군 400여 명 사살함. → 이후 6일 동안 청산리에서 10여 차례 전투 벌어짐.
⇒ 독립군 항일 무장 투쟁 역사상 가장 큰 승리를 거둔 전투로 기록됨.

청산리 전투 이후

- ㉩(　　　　　): 일제, 독립군 근거지 토벌 명목으로 간도 한인 마을 습격하여 동포 4,000여 명이 목숨을 잃음(1920년).
- ㉪(　　　　　　): 동포들의 피해를 줄이려 독립군이 만주 떠나 러시아 자유시로 이동했다가 ㉫(　　)군대의 공격을 받아 죽거나 다침(1921년).
- 독립군 조직 통합: 독립군, 만주로 돌아와 3부 조직. 이후 북만주의 혁신 의회와 남만주의 국민부로 통합함. ⇒ 완전 통합은 이루지 못함(1929년).

ⓔ 1930~1945년, 일제의 민족 말살 통치

1. 1930년대 이후 일제의 식민 통치 방식을 정리해 보자.

〈㉠(   ) 통치〉
- 우리 민족의 전통과 문화 말살하려 함.
- 우리 민족성 개조해 일본인과 똑같이 만들려 함.

〈황국 신민화 정책: 충성 강요 정책〉
- 내선일체 강조, ㉡(   ) 참배 강요, ㉢(   ) 암기 강요
- 소학교의 명칭 황국 신민의 학교라는 뜻의 국민 학교로 바꿈.
- 역사 교육 금지. 한글 신문, 잡지 폐간. ㉣(   ) 이름으로 바꾸도록 함.

2. 1930년대 항일 투쟁 내용을 알아보자.

국내외 항일 투쟁

〈국내〉
일제 탄압이 심해지면서 국내 민족 운동은 약해짐.

〈국외: 임시 정부〉
- ㉤(   ) 의거 성공 후 일제 탄압 심해져 항저우, 난징 등으로 떠돌다 충칭에 정착함.

〈국외: ㉠(   )〉
- 대한민국 임시 정부의 김구가 만든 암살 단체
- ㉡(   ): 일본 왕에게 폭탄 투척. 실패함(1932년).
- ㉢(   ): 상하이 훙커우 공원에서 폭탄 투척. 일본군 대장 등 많은 고위 인사들 죽거나 중상 입음(1932년).

〈국외: ㉣(   )〉
- 의열단 이끌던 김원봉이 이끈 군대
- 중국 국민당 군대와 연합해 일본군과 싸움. 조선 의용대 일부는 대한민국 임시 정부의 한국광복군에 합류함.

〈국외: 한국 독립군, 조선 혁명군〉
- 혁신 의회는 한국 독립군으로, 국민부는 조선 혁명군으로 정리됨.
- 중국 관내로 근거지 옮겨 투쟁하다 난징에서 합쳐짐.

〈임시 정부의 광복 준비〉
- ㉥(   ) 창설: 조선 의용대 등 많은 독립운동 부대 참여함.
- 대한민국 건국 강령 발표함.
- 한국광복군을 ㉦(   )의 일원으로 일제가 일으킨 태평양 전쟁에 참전시킴. 특수 요원 선발해 미국 전략 정보국과 함께 훈련하게 함.

광복부터 대한민국 건국까지

1. 광복 전후부터 남한 총선거 실시까지 국내외 역사를 살펴보자.

〈국외〉

㉠(　　　)회담(1943년)
우리 민족의 독립 문제 처음 논의됨.

포츠담 선언(1945년)
카이로 선언 내용 이행하기로 선언함.

모스크바 3국 외상 회의(1945년 12월)
미 · 영 · 중 · 소 5년간 한반도 ㉣(　　　　　) 결정함.

미소 공동 위원회(1946년)
미국과 소련 대립하다 결렬됨.

2차 미소 공동 위원회(1947년)
한국 임시 정부 수립 문제 처리를 국제 연합에 상정함.

국제 연합, 남북한 동시 ㉤(　　　) 결정 (1948년)
소련과 북한 거부함.

국제 연합, ㉥(　　　) 총선거 실시 결의함 (1948년).

〈국내〉

㉡(　　　　　　) 설립(1944년)
여운형이 비밀리에 만든 단체

일본의 항복 ㉢(　　　)

조선 건국 준비 위원회로 활동 시작했으나 미 · 소 군 주둔으로 중단됨(1945년).

신탁 통치 결정에 좌익과 우익 갈등 심해짐 (1945년).

좌우 합작 위원회 결성(1946년)
김규식과 여운형 등 중도 진영이 결성했으나 좌우익의 지지 받지 못함.

㉦(　　　　)(1948년)
김구와 김규식, 북한 김일성과 협상, 성과 얻지 못함.

한눈에 보기

◎(　　　) 사건(1948년 4월)
남한 단독 선거 반대하는 반란 일어남.

남한 총선거 실시(1948년 5월)
초대 ⓧ(　　　) 선출함.

2. 5 · 10 총선거와 이후 대한민국 정부 수립까지 과정을 알아보자.

〈5 · 10 총선거 실시〉
- ㉠(　　　)의 감시하에 치러짐.
- 21세 이상 성인 중 약 80% 등록, 93% 투표 참여함.

➡

〈㉡(　　　), 헌법 제정〉
- 선거 결과 200명의 제헌 국회 의원 선출됨.
- 국호를 대한민국으로 확정함.
- 대한민국 임시 정부의 독립 정신을 계승한 헌법 제정, 선포함.

⬇

〈내각 구성〉
- ㉢(　　)에서 대통령과 부통령 뽑는 선거 치름.
  – 대통령 이승만, 부통령 이시영 선출됨.

⬅

〈대한민국 정부 수립 선포〉
- ㉣(　　　) 15일, 이승만 대통령이 대한민국 정부의 수립 공식적으로 선포함.

그 당시 세계는?

20세기 초반, 세계는 두 차례에 걸쳐 세계 대전을 겪었다. 전 세계 59개국 중 33개국이 참전한 제1차 세계 대전은 제국주의 열강들의 식민지 확보 경쟁이 과열되어 일어났다고 할 수 있다. 당시 가장 빠른 속도로 팽창하는 독일을 막기 위해 영국, 프랑스, 러시아가 맺은 3국 협상과 독일, 오스트리아 · 헝가리, 이탈리아의 3국 동맹의 대립에 발칸반도에서 게르만족과 슬라브족의 충돌이 직접적인 계기가 되어 시작된 전쟁은 1918년까지 4년에 걸쳐 벌어졌다. 1938년부터 1945년까지 계속된 제2차 세계 대전은 대공황을 극복하기 위한 극단적인 방법을 선택한 독일, 이탈리아, 일본의 동맹으로부터 시작되었다. 제2차 세계 대전은 유럽을 넘어 전 세계에서 진행되었다. 참혹한 전쟁은 원자 폭탄을 맞고서야 일본이 항복하며 끝나고, 대한민국도 광복을 맞게 되었다.

역사 논술

1. 개항부터 대한민국 정부가 수립되기까지의 과정을 연표로 완성해 보자.

1) 초성을 참고하여 설명에 알맞은 역사적 사건을 써 보자.

2) 빈칸에 알맞은 내용을 넣어 보자.

1) ㄱㅎㄷ 조약 체결 일본과 조약을 맺고 부산, 원산, 인천을 개항했다.	2) ㄱㅇㄱㅎ 김홍집 내각이 군국기무처를 중심으로 개혁을 단행했다.	3) ㄷㅎㅈㄱ 선포 조선이 완전한 독립국임을 선포하고, 광무개혁을 단행했다.
4) 을사조약 이 조약으로 일본에 ______을/를 빼앗겼다.	5) 국권피탈 일본은 식민 통치 기구로 ______을/를 설치했다.	6) 3.1운동 ______
7) ㄷㅎㅁㄱ ㅇㅅㅈㅂ 독립운동의 구심점으로, 상하이에 설립했다.	8) ㅂㅇㄷㅈㅌ 홍범도 장군이 이끄는 대한 독립군이 일본군을 크게 이겼다.	9) 광복 ______
10) 모스크바3상회의 5년간 미국과 소련이 남과 북을 ______하기로 결정했다.	11) ㄷㅎㅁㄱㅈㅂ수립 1948년 8월 15일 초대 대통령 이승만이 대한민국 정부수립을 선포했다.	

실력 키우기

01. 다음 내용과 가장 관련이 깊은 것은?

> • 한국인의 언론 · 출판 · 집회 · 결사의 자유 박탈
> • 헌병 경찰이 치안 업무 및 의병 활동가 색출
> • 총독이 입법 · 사법 · 행정 등 삼권 장악

① 마지막 황제였던 고종이 대한제국을 선포했다.

② 한국인들의 신문과 잡지 발행을 허용했다.

③ 한국인들의 이름을 일본식으로 고치게 했다.

④ 최고 기관인 조선 총독부를 설치했다.

⑤ 한국광복군을 조직해 국내 진공 작전을 준비했다.

02. 다음 [A] 시기에 있었던 사건이 아닌 것은?

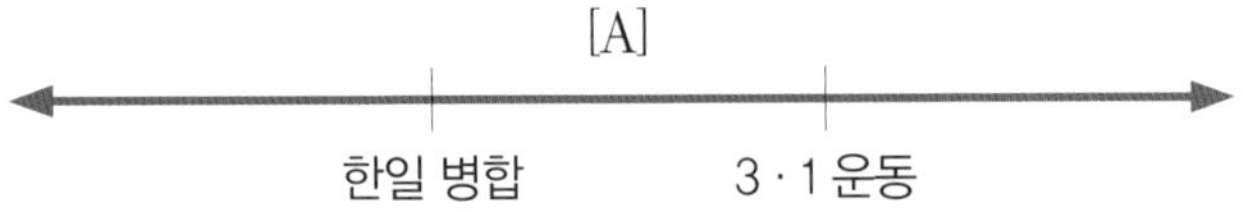

① 일제는 105인 사건을 만들어 신민회를 해체하였다.

② 윌슨 대통령이 민족 자결주의를 발표했다.

③ 만주에서 독립운동 지도자 39명이 모여 독립 선언을 했다.

④ 일본 도쿄에서 유학생들이 모여 독립 선언서를 발표했다.

⑤ 광주에서 학생들이 동맹 휴업을 하며 시위에 참여했다.

03. 다음 중 대한민국 임시 정부에 대한 설명으로 옳지 않은 것은?

① 각지에 흩어져 있던 임시 정부를 통합해 만들었다.

② 처음 수립되었을 때는 상하이에 본거지를 두었다.

③ 초대 대통령에는 김구, 국무총리에는 이승만이 선출되었다.

④ 독립운동 자금을 모으기 위해 독립 공채를 발행했다.

⑤ 독립운동가 및 단체와 연락하는 비밀조직인 연통제를 조직했다.

04. 다음에서 설명하는 단체가 한 일로 옳은 것은?

> 1927년 사회주의자들과 민족운동 지도자들이 함께 손잡고 만들어 낸 독립운동 단체로, 초대 회장은 민족주의 계열의 이상재가 맡았다.

① 광주 학생 항일 운동을 지원했다.

② 경제적 자립을 위해 물산 장려 운동을 주도했다.

③ 노동자의 노동 조건과 처우 개선을 요구하는 운동을 펼쳤다.

④ 주로 만주에서 활동하며 군사 작전을 펼쳤다.

⑤ 일본 요인들을 암살하기 위한 무장 투쟁을 벌였다.

05. 다음 중 한국의 독립을 약속한 선언에 해당하는 것을 모두 고르면?

① 카이로 선언 ② 포츠담 선언 ③ 모스크바 3국 외상 회의

④ 미소 공동 위원회 ⑤ 파리 강화 회의

실력 키우기

06. 다음에서 설명하는 ㉠이 일어난 원인으로 옳은 것은?

1948년 4월 3일 제주에서는 (㉠)에 반대하는 반란이 일어났다. 미군정이 이를 진압하는 과정에서 많은 사람들이 희생되었다.

① 김구와 김규식이 북한의 김일성을 만나 협상했다.

② 대부분의 국민들이 투표에 참여해 제헌 국회를 탄생시켰다.

③ 8월 15일 대한민국 정부의 수립을 선포했다.

④ 국제 연합에서 선거 가능한 지역에서 총선거를 실시하도록 결의했다.

⑤ 모스크바에서 영국, 미국, 소련의 외무 장관이 한반도 문제를 논의했다.

Chapter 21

자본주의와 사회 변화

경제 성장과 문화 발전이 공존하는 나라

책을 읽기 전에

앞에서 읽은 내용과 알고 있는 배경지식을 바탕으로 다음 시기별로 우리나라 경제와 관련해 떠오르는 내용을 메모해 보세요.

- 일제 강점기:
- 6·25 전쟁 이후:
- 1960~1970년대:
- 1980년대 이후:

책을 읽으며

1. 자본주의와 사회 변화의 내용을 읽으며 중요하다고 생각하는 부분에 밑줄 쳐 보자.

2. 부분별로 읽은 내용을 생각하며 빈칸을 채워 보자.

(日) 1900년대 남자들이 술과 담배를 끊은 까닭은?: 개항 이후 외세의 경제 침탈 및 경제적 구국 운동

1) 강화도 조약은 (   )라고도 불렀다. 조선은 3개의 항구를 개항했고, 일제는 한반도의 해안을 마음대로 측량할 수 있는 권리와 (   )도 가져갔다. 이때 조선의 (   )을 일본이 무제한으로 수입할 수 있도록 했고, 일본이

조선으로 수출하는 제품에는 (   )를 매기지 않는 규정까지 넣었다.

2) 강화도 조약 체결 이후 (   ) 상인들의 활동 범위가 넓어졌다. 개항 초기만 해도 외국 상인은 개항장 주변 (   )리 이내에서만 장사하도록 했지만, 외국과의 조약 체결이 늘면서 유지하기가 힘들었다. 이후 외국 상인들이 상권을 장악해 (   ) 상인들이 (   ) 운동을 벌였다.

3) 함경도 관찰사 조병식은 곡물의 일본 수출을 금지하는 (   )을 처음으로 내렸다. 하지만 이로 인해 일본 상인이 피해를 입었다고 주장하는 바람에 (   )만 지불하고 실패로 끝났다.

4) (   )는 부산 절영도를 빌리겠다고 했고, 재정 고문을 두고 한로은행을 만들려 했으며, 군대까지 한양에 주둔시키려 했다. 독립 협회는 러시아의 이런 행동을 저지하기 위해 (   )를 열었다.

5) 러일 전쟁 후 (   )은 대한 제국 정부에 황무지 (   )을 요구했다. 하지만 (   )가 이에 반대하는 투쟁을 벌여 요구를 무산시켰다.

6) 일본의 경제 침탈에 맞서 범 민족적인 운동인 (   )이 일어났다. 국채 보상 운동은 (   )에서 시작됐으며, 〈대한매일신보〉, 〈황성신문〉과 같은 언론사를 비롯해 많은 (   ) 단체가 운동에 동참하면서 전국적으로 확산되었다.

B 쌀 생산량이 늘어도 한국 농민이 몰락한 까닭은?: 일제 강점기 경제 수탈

1) 1910년대 실시된 (   ) 사업은 일본이 전국 토지를 모두 조사해 소유자를 밝히고, 농업에 적합한 토지인지 삼림인지를 정리하는 사업이었다. 일본이 토지를 빼앗고, 한국인에게 더 많은 (   )을 부과해 식민지 지배 자금을 확보하려는 것이었다.

2) 일제는 토지 (   )가 직접 토지 현황을 신고하도록 했다. 그 결과, 소유자가 미처 신고하지 못한 땅은 '임자 없는 땅'이라며 모두 차지했다.

3) 대한 제국 황실이나 관청의 소유로 되어 있던 땅도 조선 총독부의 땅으로 바꾸었다. 그 결과, 조선 총독부가 전체 토지의 (   )%를 확보했다. 이렇게 확보한 토지는 (   )로 헐값에 넘겼다.

4) 토지 조사 사업으로 일본인 지주, 일부 친일파 지주들도 땅을 늘렸다. 반면 한국 농민들은 땅을 잃고, 땅을 빌려 농사를 짓는 (   )으로 전락했다.

5) 일제는 회사를 세우려면 조선 총독부의 허가를 받아야 한다는 (   )을 시행했다. 한국에 진출하는 일본 기업의 경영을 돕고 한국 민족 기업의 성장을 억제하려는 목적이었다.

6) 제1차 세계 대전 이후 일본은 빠른 속도로 공업 국가로 변신했다. 농촌 인구는 감소했고, 쌀 생산량은 줄었다. 일제는 이 문제를 해결하려고 한국의 쌀 생산량을 늘려 가져가려는 (   )을 벌였다.

7) 일본으로 가져가는 쌀 생산량이 늘수록 식량 부족으로 먹고 살기 힘들어진 한국 농민들은 만주나 (   )로 떠났다.

8) 중일전쟁이 터진 1930년대 후반 이후 일제는 한반도 (   ) 정책을 추진했다. 중국과의 전쟁을 원활하게 수행하기 위해 한반도를 군대 물자 보급 기지로 활용하려 한 것이다.

9) 병참 기지화 정책에 따라 일제는 한반도 (   )에 공장을 세웠다. 주로 금속, 기계, 제철, 화학 등 군수 물자를 만드는 데 필요한 (   ) 공장이었다. 게다가 공장을 가동하기 위해 철, 석탄, 금과 같은 지하자원을 마구 채굴했다.

10) 일제는 국가 (   )까지 만들어 한국의 인적 · 물적 자원을 강도 높게 수탈했다.

11) 강제 징병을 통해 젊은이들을 전쟁터로 보냈고, 어린 학생들도 (   )으로 차출했다. 강제 (   )을 통해서는 약 200만 명의 한국인을 중국, 사할린, 일본, 동남아시아의 공장이나 비행장, 군사 기지, 탄광으로 보냈다. 또한 한국 여성들을 일본군 (   )로 끌고 갔다.

암태도 농민들이 추수를 거부한 까닭은?: 일제 강점기 경제 투쟁과 다양한 사회 운동

1) 일제가 (   ) 통치로 전환하면서 회사령이 폐지되고 (   )로 바뀌었다. 하지만 일본 기업의 한국 지사나 지점이 늘어나 민족 기업이 타격을 받았다.

2) 일본 기업에 의해 타격을 받는 우리 민족 기업을 육성하자는 (   )이 전개되었다.

3) 물산 장려 운동은 조만식의 주도로 (   )에서 시작되었다. 민족 운동가들은 우리 민족 기업이 만든 (   )을 애용함으로써 민족 기업을 육성할 수 있다고 여겼다.

4) 1920년대 초 (   )가 국내에 전파되면서 농민 운동과 노동 운동 같은 (   )이 활발해졌다. 젊은 지식인을 중심으로 빠른 속도로 확산되어 소작인회나 농민 조합이 잇달아 결성됐다.

5) (   )으로 소작료가 크게 올라 농민들의 피해가 컸다. 농민들은 소작료 인하를 주장하고 요구가 받아들여지지 않을 때는 경작을 거부하는 (   )에 돌입했다.

6) 전라남도 신안군 (   ) 소작 쟁의에서 농민 수백 명이 단식 농성을 하며 소작료 납부를 거부하고 추수를 하지 않겠다고 맞서 결국 농민이 승리했다.

7) 사회주의 운동가들이 노동 현장에 들어가 (   )를 이끌기도 했다. (   )은 영국 석유 회사에서 일본인 간부들이 한국 노동자를 차별하고 구타한 데 반발해 일어났다.

8) 백정들도 차별 철폐를 요구하며 (   )을 벌였고, 나중에 항일 운동으로 발전했다.

9) (   )도 활발히 이루어졌다. 《신여성》이란 잡지도 간행되어 자유연애와 자유 결혼을 비롯한 여성의 인권 신장을 주장했다.

10) (   )도 전개되었다. (   )이 이끈 일본 유학생 모임인 색동회가 이 운동을 주도했으며, 어린이날도 만들었다.

🄱 '한강의 기적'이란 말은 무슨 뜻일까?: 경제 개발 계획과 대한민국 경제의 성장

1) 이승만 정부 시절, 남한은 산업 기반이 취약한 (   ) 중심이었다. 6·25 전쟁을 치르며 생산 시설이 파괴되어 생활필수품을 구하기조차 어려워지자 (   )으로부터 무상 원조를 받았다.

2) 주로 밀가루, 면화, 설탕의 (   ) 성장 덕분에 경공업이 발달했지만 원료를 모두 수입하는 바람에 국내 농업 경제가 악화했고, 철강, 기계와 같은 (   )은 발달하지 못했다.

3) 1950년대 후반부터 미국이 무상 원조를 중단하고 (   )을 빌려주기 시작했다. 경제 자립을 위한 (   )은 5·16 군사 정변을 통해 집권한 (   ) 정부 때 본격 추진되었다.

4) 1차와 2차 경제 개발 5개년 계획 때는 (　　　　　)이 풍부했기 때문에 주로 의류와 신발, 합판 같은 (　　　　　)을 육성했다. 이와 함께 항만과 도로, 공항을 세우고 생산 설비를 늘려 나갔다. (　　　　　　　　　　)가 완공되면서 전국이 일일 생활권이 되었다.

5) 사업 추진에 필요한 (　　　　)은 외국의 자본을 끌어들여 채웠다. 또한 자유 무역 단지를 만들어 외국 기업을 유치하기도 했다.

6) 제2차 5개년 계획 후반부터는 (　　　　)을 적극 늘리는 쪽으로 경제 정책을 추진했다. 실제로 (　　　　　) 전쟁 덕분에 수출이 증대되었다.

7) 제2차 경제 개발 5개년 계획이 끝나갈 무렵, 농촌에서 (　　　　　　　　)이 시작됐다. 경제 성장을 추진하면서 벌어진 도시와 농촌의 격차를 줄이기 위함이었다.

8) 박정희 정부는 제3차와 제4차 경제 개발 5개년 계획을 추진하면서 철강, 조선, 화학과 같은 (　　　　　) 공업을 적극 육성했다. 또 2차 계획 후반부터 모든 산업을 (　　　　　　　　)으로 개편했고 이에 따라 경제도 빠른 속도로 성장했다.

9) 1970년대에 중동 지역에서 아랍과 이스라엘이 벌인 중동 전쟁의 여파로 두 차례 (　　　　　　　)이 일어나 경제 위기가 닥치기도 했다.

10) 1970년대 말 외국에서는 대한민국의 급속한 성장에 놀라며 '(　　　　　　)'이라 극찬했다.

11) 1980년대 (　　　　) 정부는 경제 개발 5개년 계획은 추진하지 않았지만 (　　　　) 공업을 계속 육성했다. 마침 저유가, 저금리, 저달러 등 (　　　) 현상이 나타나 수출 주도형 산업을 육성하는 우리에게는 아주 좋은 조건이었다.

12) 1980년대부터 우리 산업 구조가 (　　　　　)했다. 경공업에서 중화학 공업으로 바뀐 데 이어 반도체, 전자, 자동차 등과 같은 (　　　　　　　　) 산업이 발전한 것이었다.

13) 1990년대 들어서 우리나라는 1인당 국민 소득이 처음으로 (　　　) 달러를 넘어섰다. 이 무렵, 선진국을 중심으로 자유 무역을 확대해야 한다는 (　　　　　)와 세계화에 대한 목소리가 커지고 있었다. 이에 따라 시장을 개방하라는 외국의 압력도 커졌고 이에 김영삼 정부는 (　　　　　　　　　　　　　)에 가입했다.

14) 2000년대 이후로도 반도체와 같은 (　　　　　　　)에서 세계적인 경쟁력을 갖추었다. (　　　　　) 수출도 꾸준히 늘고 있다.

B▸ 전태일은 왜 법전을 들고 분신했을까?: 경제 성장에 따른 사회 문제

1) 우리나라는 (　　　)가 주도한 경제 개발 계획을 통해 발전했다. 정부는 경제 성장을 위해 (　　　)에 집중했고, 재벌과 대기업을 적극 지원했다.

2) 경제가 급속히 성장하는 과정에서 많은 (　　　　　)들이 희생을 강요당했다. 낮은 임금을 받고 열악한 환경에서 일해야 했다. 박정희 정부가 노동자의 인권보다는 (　　　　　　)에 관심을 가졌기 때문이다.

3) 청계천 의류 공장 재단사로 일하던 (　　　　　)은 근로 기준법을 지켜 달라고 호소하며 분신했다. 그로 인해 노동자들의 (　　　　　　　)이 활발해졌다.

4) 경제가 성장하면서 도시와 농촌의 격차가 더욱 벌어졌다. 산업화와 도시화로 많은 인구가 서울, 부산과 같은 대도시에 몰렸다. 농촌의 인구가 줄어들고, 반면 도시는 (　　　)이 부족해지고, (　　　　　　)과 같은 문제가 나타났다.

5) 박정희 정부가 도시와 농촌의 격차를 줄이고 농촌을 근대화하겠다며 (　　　　　) 을 시작했다. 근면, 자조, 협동의 3대 정신을 강조하며 효과를 보았다. 농촌에 도로가 깔리고 주택을 개선하는 등 생활환경은 나아졌지만 경제는 살리지 못했다.

6) 1980년대부터 외국 농산물 (　　　)이 개방되면서 농촌 경제가 큰 타격을 받았다. 게다가 최근에는 농촌의 (　　　　)가 아주 심각한 상황이다.

7) 1997년 우리나라 경제가 휘청거리는 (　　　　　)를 맞기도 했다. 재벌과 대기업들이 문어발처럼 사업을 확장하면서 금융 기관으로부터 많은 돈을 빌리는 방만한 경영을 했기 때문이다. 여기에 무역 적자가 커지고 환율까지 크게 오르면서 우리 경제는 (　　　)을 결제하지 못하는 상황에 이르렀다.

8) 김대중 정부는 외환 위기를 극복했다. 하지만 이 과정에서 기업들의 강도 높은 (　　) 조정이 필요했고, 대량 해고사태가 빚어져 (　　　　)가 크게 증가했다.

9) 지금 한국은 세계 10위권의 경제 대국으로 성장했지만 도시와 농촌의 격차는 여전히 문제가 되고 있다. 여러 나라와 (　　　　　　　　)을 체결하면서 국내 시장은 외국에 개방되었는데, (　　　) 분야의 타격이 크다.

10) 계층 간 소득 격차도 점점 심각한 문제가 되고 있다. (　　　　　　　) 현상이 사라지지 않고 있으며, 이로 인해 저소득층에 대한 (　　　) 문제를 걱정하는 목소리가 높다.

11) 일자리를 구하지 못한 청년 실업자들이 늘어나는 (　　　　　　) 문제도 대책 마련이 시급하다. 또한 비정규직 노동자와 외국인 노동자 문제도 해결해야 한다.

〈아침이슬〉은 왜 금지곡이 되었을까?: 대중문화의 발달

1) 1950년대에는 6 · 25 전쟁을 전후로 (　　　　)의 대중문화가 유입되어 젊은이들에게 인기를 끌었다. 이 시대를 대표하는 대중 매체는 (　　　　　)였다.

2) 1960년대에는 (　　　)라는 새로운 대중 매체가 등장했다. 국영 방송국 · KBS가 최초로 (　　　　) 방송을 내보냈다.

3) (　　　　)는 1950년대 이후 짧은 시간에 꽤 성장했다. 1960년대에는 영화관을 찾는 것이 일반 대중이 누릴 수 있는 가장 보편적인 (　　　　) 행사였다.

4) 1970년대 대중문화는 (　　　　　　　)로 침체돼 있었다. 정부에 비판적인 내용을 검열해 삭제하거나 그런 주장을 담은 영화를 만들지 못하게 했다.

5) 가수들도 마음대로 노래할 수 없었다. 노랫말이 정부에 비판적이라거나 퇴폐주의를 조장한다는 이유로 (　　　　　)이 된 가요가 많았다. 〈아침이슬〉, 〈상록수〉가 대표적인 금지곡이다.

6) 1980년대의 대중문화는 (　　　　) 수준이 높아져 크게 발전했다. 컬러 방송을 내보내기 시작했고, (　　　　) 스포츠 시대가 열렸다. 아시안 게임과 (　　　　　　　) 대회도 유치했다. 이후에도 한일 축구 월드컵 대회, 평창 동계 올림픽 대회인 국제 스포츠 행사도 유치했다.

7) 1980년대부터 대중문화에 10대 청소년층이 소비자로 떠올랐다. 6 · 10 민주 항쟁으로 (　　　　　)가 진전되면서 1990년대 이후 대중문화가 다시 달라졌다. 영화와 가요 산업이 크게 성장하면서 해외로 (　　　　)되기 시작했다. 중국, 동남아시아를 비롯해 전 세계로 확산했다. 해외로 진출한 대중문화를 (　　　　)라고 부른다.

3. 다음 내용을 정리해 말해보자.

경제 개발 5개년 계획

삼백 산업

외환 위기

빈익빈부익부

한눈에 보기

21장 내용을 한눈에 정리해 보자.

개항부터 대한민국까지, 경제사를 한눈에

1. 빈칸을 채우며 강화도 조약 이후 개항 시기 조선이 겪는 변화와 원인을 알아보자.

조선의 변화	원인
• ㉠(　　　　) 체제 자리 잡기 시작함.	• 강화도 조약 이후 미국, 영국, 러시아 등 유럽 국가들과 ㉡(　　　)하기 시작함.
• 외국 상인들이 조선의 ㉢(　　　) 장악함.	• 외국과의 조약 체결 늘면서 조선 내 외국 상인들의 활동 범위 확장됨.
• 국내 수공업자들 파탄에 이름.	• 일본 상인들이 ㉣(　　　) 공산품 들여와 국내에서 판매함.
• 조선 내 쌀값 ㉤(　　　)함.	• 많은 양의 쌀이 ㉥(　　　)으로 빠져나감.
• 철도 부설권, 전화와 통신 부설권, 탄광 채굴권 등 이권 빼앗김.	• 제국주의 열강의 침탈

2. 1과 같은 상황에서 경제적 자주권을 지키기 위해 벌인 투쟁에 대해 알아보자.

〈관찰사들의 ㉠(　　　　)(1889년)〉
- 곡물의 일본 수출 금지 명령
  - 함경도, 황해도 여러 지역에서 선포됨.

➡ 실패 – 배상금 지불

〈독립 협회의 만민 공동회 개최(1898년)〉
- ㉡(　　　　)의 침탈에 맞서기 위한 투쟁
  - 절영도 조차 요구 · 군대 한양 주둔 요구 등 저지함.

➡ 성공 – 절영도 조차 요구 철회시킴.

〈㉢(　　　　)의 황무지 개간권 지킴(1904년)〉
- 일본의 황무지 개간권 요구에 맞섬.

➡ 성공 – 요구 철회시킴.

〈범 민족 운동, ㉣(　　　　　　　　)(1907년)〉
- 일본의 강요에 쓴 차관 갚자는 운동, 전국적으로 확산됨.

➡ 실패 – 일본의 방해와 탄압으로 중단됨.

🅔 일제 강점기 경제 수탈

1. 일제 강점기 동안 일제가 시행한 경제 수탈 정책과 한국에 미친 영향을 알아보자.

수탈 정책과 내용	한국에 미친 영향
• ㉠(　　　　　　)(1910~1918년) – 토지의 소유자 밝히고, 토지 용도 정리하는 사업 – 토지 빼앗거나 세금 증대 목적	• 조선 총독부, 전체 토지의 40% 확보, ㉡(　　　　) 주식회사에 헐값으로 넘김. ⇒ 일본인 지주, 친일파 한국인 지주의 땅 늘어남. ⇒ 한국 농업 풍비박산됨.
• ㉢(　　　)(1910년) – 회사를 세우려면 조선 총독부의 허가 받으라는 명령 – 1920년, 신고제로 바뀜: 일본 기업의 한국 진출 돕기 위한 목적 • **관세 폐지(1923년)** – 일본 제품 한국 수입 시 관세 없앰.	• 일본 기업의 한국 진출 증가함. 한국 기업 설립 억제됨.
• ㉣(　　　　　　)(1920~1934년) – 일본의 부족한 쌀 문제 해결을 위해 한국의 쌀 가져감.	• 한국, 만성적인 식량 부족에 시달림. • 많은 농민이 ㉤(　　)나 연해주로 떠남. ⇒ 한국의 농촌 경제 파탄 남.
• **한반도 ㉥(　　　　　　) 정책(1930년대 후반 이후)** – 중국과의 전쟁 원활한 수행을 위해 한반도를 기지로 활용하려는 목적 – 한반도 북부에 중화학 공장만 세움. – 철, 석탄, 금 등 지하자원 마구 채굴함.	• 지역 발달 구조 뒤틀림. • 한국의 지하자원, 일본의 침략 전쟁에 사용됨.
• ㉦(　　　　　　)(1938년) – 강제 징병: 젊은이들 모집, 전쟁터로 보냄. – 강제 징용: 강제 노동을 위해 노동자 동원 – 일본군 위안부: 여성들 끌고 감. • 군량미, 군수 물자 확보를 위해 공출제 실시함.	• 일본의 침략 전쟁에 한국인 강제 동원됨. • 식량 등 배급제 시행됨.

일제 강점기 경제 투쟁과 사회 운동

1. 일제의 식민지 경제 수탈에 맞선 우리 민족의 저항을 분야별로 정리해 보자.

민족 운동: ㉠(   )(1923년)

- 목표: 민족 기업 육성을 통해 민족의 경제적 자립을 이루자.
- 주도: 조만식, 평양
- 과정: 국산품 애용 운동 실시, 국산품과 토산품 판매 증가함.
- 결과: 일제의 탄압과 방해로 중단됨.

사회주의 운동: 농민 운동, 노동 운동(1920년대)

〈㉡(   ) 소작 쟁의(1923년)〉
- 전남 신안군 암태도에서 소작료 인하를 주장하는 농민들의 요구가 받아들여지지 않자 경작을 거부하며 소작 쟁의 돌입함.
- 1년의 투쟁 결과 농민의 승리로 끝남.
- 여러 곳에서 농민 소작 쟁의가 이어짐.

〈여성 운동(1923년)〉
- 여러 여성 단체가 조직되어 여성 해방을 외침.

〈소년 운동(1923년)〉
- 아이들을 소중히 대하자는 운동
- 색동회 주도, ㉣(   ) 만듦.

〈㉢(   )(1923년)〉
- 백정들에 대한 차별과 편견 철폐를 요구하며 나선 운동
- 이후 항일 운동으로 발전함.

〈원산 ㉤(   )(1929년)〉
- 영국 석유 회사에서 일본인 간부들의 한국 노동자 차별, 구타에 반발해 일어남.
- 일제 강점기 최대 규모의 파업으로 4개월 동안 계속됨.
- 일제의 탄압으로 실패로 끝남.

광복 이후 대한민국 경제 성장의 역사

1. 광복 이후 현재까지 대한민국 경제가 어떻게 성장하고, 문제를 겪어 왔는지 순서대로 알아보자.

1950년대(이승만 정부)
- 6 · 25 전쟁 이후 미국의 무상 원조 받아 식량난 해소함.
- 경공업 발달: ㉠(　　) 산업(밀가루, 면화, 설탕 제조업) 중심
- 중공업 발달하지 못함.

1960~70년대(박정희 정부)
- ㉡(　　　　　　　　) 본격적 추진 시작함.
  - 1, 2차: 경공업 육성, 도로, 공항 등 생산 설비, 경부 고속 국도 건설, 베트남 전쟁 덕분에 수출 증대됨.
  - 새마을 운동: 도시와 농촌 격차를 줄이기 위한 농촌 운동
  - 3, 4차: 중화학 공업 육성, 수출 주도형 정책 ⇒ 급속한 경제 성장을 이룸.
- 노동자들의 희생 강요당함.: ㉢(　　　)의 죽음으로 노동 운동 활발해지기 시작함.

1980년대(전두환 정부)
- ㉣(　　　) 공업 계속 육성함.
- 수출이 매우 늘어남.: ㉤(　　　　)(저유가, 저금리, 저달러) 현상 덕분
- 기술 집약적 산업 발전: 반도체, 전자, 자동차 등 산업 구조 달라짐.
- 외국 농산물 수입이 개방되면서 농촌 경제가 타격을 받기 시작함.

1990년대(김영삼 정부)
- 1인당 국민 소득 ㉥(　　　　) 넘어섬.
- 경제 협력 개발 기구(OECD) 가입(1996년)
- ㉦(　　) 위기 맞음.: 무역 적자가 커지고 환율이 오르며 외환을 결제 못하는 상황에 이름.

2000년대(현재)
- 지속적으로 발전하는 한국 경제: 세계 10위권의 경제 대국이 됨.
- 해결해야 할 문제: 도시와 농촌의 격차 · 계층 간 ㉧(　　) 격차, 청년 실업, 비정규직 노동자와 외국인 노동자 문제

대중문화 발달 역사

1. 빈칸을 채우며 대중문화를 중심으로 1950년대부터 우리나라 문화의 발달사를 알아보자.

1950~60년대
- ㉠(　　)의 대중문화 유입되어 젊은이들에게 인기 끎.
- 1950년대 대표 대중매체: ㉡(　　　)
- 1960년대 ㉢(　) 등장, 흑백 방송 시작함(1961년).
- 영화
  - 1950년대 이후 빠르게 성장함.
  - 일상생활에서 누릴 수 있는 가장 보편적인 문화 행사였음.

1970년대
- 대중문화 ㉣(　　　)
  - 정부(유신독재) 비판적 내용 검열, 삭제, 창작 금지당함.

1980년대
- 대중문화 크게 발전. 10대 청소년층이 대중문화의 소비자로 떠오름.
- TV 컬러 방송 시작함(1980년).
- ㉤(　　) 스포츠 시대 열림.
- 아시안 게임(1986년), 서울 ㉥(　　　) 대회(1988년) 유치

1990년대 이후
- 6 · 10 민주 항쟁 이후 민주화가 진전되면서 대중문화 달라짐.
- 영화, 가요 산업 크게 성장함. 대중문화 해외 수출 시작됨.
  ⇒ 해외로 진출한 우리의 대중문화인 ㉦(　　), 미국, 유럽 등에서도 확산하고 있음.

한눈에 보기

그 당시 세계는?

제2차 세계 대전 이후 1990년대까지 전 세계는 냉전 시기를 겪었다. 소련이 중심인 공산주의 진영과 미국이 중심인 자본주의 진영이 경제, 군사, 정치, 외교 등 모든 분야에서 전쟁을 하듯 대립하고 대결하던 시기였다. 1991년 소련이 해체되면서 냉전 체제는 종식되었고, 동유럽의 여러 국가는 자본주의 자유 경제 체제를 받아들였다. 공산주의 정부인 중국도 자본주의 요소를 받아들이는 등 자본주의는 전 세계로 확산하였다.

1. 다음 자료들을 참고하여 한국 경제가 성장하는 동안 어떠한 국민들의 노력과 희생이 있었을지 짐작하고, 그에 대한 자신의 생각을 써 보자.

세계가 놀라는 '한강의 기적'

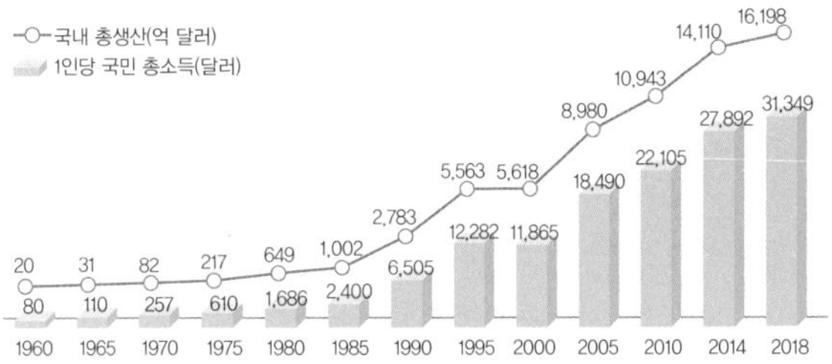

국내 총생산과 1인당 국민 총소득(GN)의 변화 1953년 약 13억 달러에 불과하던 국내 총생산은 2018년을 기준으로 1,000배 이상 증가하였다. 2018년에는 국내 총생산이 세계 11위, 국민의 평균 생활 수준을 반영하는 1인당 국미의 총소득이 세계 32위를 차지하였다.

6·25로 폐허가 되어 버렸던 대한민국이 20~30년의 짧은 기간 동안 보여 준 놀라운 경제발전은 전 세계가 주목하는 바이다. 1950년대 최빈국에 속했던 대한민국은 2000년대 이후 세계 10위권의 경제 대국이 되었다.

'한강의 기적'의 주역들

1963~1980년까지 대한민국 정부는 실업문제 해결과 외화 획득을 위해 7,900여 명의 광부를 독일에 파견했다.

환기도 되지 않는 공장에서 다닥다닥 붙어 하루 14시간을 노동했던 공장 근로자들

실력 키우기

01. 다음에서 설명하는 운동을 〈보기〉에서 고르시오.

보기

• 물산 장려 운동 • 형평 운동 • 소작 쟁의 • 노동 쟁의

1) 사회적 차별을 받던 백정들이 평등한 대우를 요구하며 나섰다.

2) "조선 사람은 조선의 것을 쓰자."는 구호를 내세워 민족 기업을 육성해야 한다는 운동이다.

3) 저임금과 열악한 노동 환경에 대한 개선을 요구한 것으로 원산 총파업이 대표적이다.

02. 외국의 경제 수탈에 맞선 우리 민족의 대응으로 알맞지 <u>않은</u> 것은?

① 일본으로 빠져나가는 곡물을 막기 위해 방곡령을 내렸다.

② 러시아의 절영도 조차 요구에 독립 협회는 만민 공동회를 열어 저지했다.

③ 일본에 진 빚을 갚자는 국채 보상 운동으로 금 모으기 운동이 시작됐다.

④ 보안회는 일본의 황무지 개간에 반대하며 투쟁했고 결국 성공했다.

⑤ 외국 상인들이 상권을 장악하자 한성 상인들이 상권 수호 운동을 벌였다.

실력 키우기

03. 다음에서 설명하는 정책의 목적으로 가장 타당한 것은?

> 1910년, 일제는 회사를 세우려면 조선 총독부의 허가를 받아야 한다는 회사령을 내렸다. 그리고 10년 후 허가제를 신고제로 바꾸었다.

① 일본인들이 조선에 회사를 세우는 것을 막기 위해
② 조선에 자본주의 체제가 뿌리내리게 하기 위해
③ 조선을 원료 공급지이자 상품을 내다 팔 시장으로 만들기 위해
④ 조선인들이 회사를 세워 부강해지는 것을 막기 위해
⑤ 조선 경제구조를 농업체제에서 상업체제로 바꾸기 위해

04. 1930년대 경제와 사회의 모습으로 옳은 것은?

> 일제는 자국의 식량 부족 문제를 해결하기 위해 ①산미 증식 계획을 추진했다. ②품종 개량과 비료 공급을 통해 쌀 생산량을 크게 증가시켰다. 토지를 빼앗기고 소작농이 된 농민들은 ③높은 소작료에 항의하며 암태도에서 소작 쟁의를 일으켰고, 도시로 가 노동자가 된 사람들은 열악한 노동 환경에 항의하며 ④원산에서 총파업을 일으키기도 했다. 일본은 전쟁에 필요한 물자를 만들기 위해 ⑤국가 총동원법을 제정하여 인력과 물자를 수탈했다.

05. 우리나라 경제 발전 과정에 대한 설명으로 옳지 않은 것은?

① 6 · 25 전쟁 이후 삼백 산업 등 소비재 산업이 발달했다.

② 1960년대 이후에는 외국으로 이민, 유학, 취업하는 사람이 많아졌다.

③ 1970년대에는 철강, 조선, 화학 등 중화학 공업이 발달했다.

④ 1980년대에는 3저 현상으로 수출이 확대되었다.

⑤ 1990년대에는 의류, 신발 등 경공업이 발달했다.

06. 다음에서 설명하는 대중문화가 발달한 시기는?

> 대학가를 중심으로 전통 문화에 대한 관심이 높아졌고 가요 시장이 성장하였다. 야구, 축구, 씨름 등 프로 스포츠가 출범하며 TV 중계가 많아졌다. 특히 이 시기에는 10대 청소년이 대중문화의 소비층으로 떠올랐다.

① 1960년대 ② 1970년대 ③ 1980년대 ④ 1990년대 ⑤ 2000년대

Chapter 22

민주주의의 발전

성숙한 민주주의 국가로!

책을 읽기 전에

이번 장에서 기억해야 할 내용은 무엇일지 안내하는 내용과 부분별 제목을 훑어 보며 단어나 어구에 ○해 보자.

- 4 · 19 혁명이 일어난 이유와 그 결과에 대해 알아봅시다.
- 유신 체제가 독재 체제인 이유와 실제 사회에 미친 영향을 생각해 봅시다.
- 5 · 18 민주화 운동과 6월 항쟁에 담긴 의의와 그 결과에 대해 이야기해 보세요.
- 6월 항쟁 이후 등장한 정부별로 민주주의 발전 과정을 살펴봅시다.

책을 읽으며

1. 민주주의의 발전 내용을 읽으며 중요하다고 생각하는 부분에 밑줄 쳐 보자.

2. 부분별로 읽은 내용을 생각하며 빈칸을 채워 보자.

(目) 왜 반민 특위는 제대로 활동하지 못했을까?: 이승만 정부의 독재 정치

1) 1948년 (   )에서 200명의 국회의원을 선출했다. 국회의원들은 (   )를 구성했고 국호를 대한민국으로 확정하여 제헌 헌법을 만들었다. 국회에서 (   )이 뽑히고, 대한민국 정부가 공식 출범했다.

2) 제헌 국회는 (   )를 청산하기 위한 (   )을 제정했다. 한일 병합에 적극적이었거나 일본의 귀족 작위를 받았으며, 제국 의회

의원으로 활동한 친일파를 처벌하는 법률이었다. 하지만 이승만 정부는 반민 특위 활동에 적극적으로 협조하지 않았다.

3) 당시 우리 국민은 친일파 청산과 함께 (   )을 강하게 바랐다. 농민 대다수가 (   )이었기 때문이다. 제헌 국회는 이 문제를 해결하기 위해 (   )을 제정했다.

4) 농지 개혁법은 농가 1가구당 3정보 이상의 토지를 갖지 못하도록 했다. 농가에서 그 이상의 토지를 가지고 있으면 (   )가 사서 토지가 없는 (   )에게 팔았다.

5) 6 · 25 전쟁이 터지자 집권당은 임시 수도 부산에서 헌법을 강제로 개정했다. 대통령을 (   )로 뽑기로 했고, 현직 대통령인 이승만에게 유리한 조항을 집어넣는 1차 개헌인 (   )이 이뤄졌다. 그 결과, 이승만은 대통령에 당선됐다.

6) 6 · 25 전쟁이 끝나고 제3대 대통령과 부통령 선거가 다가오자 이승만은 "초대 대통령에 한해 (   ) 제한 규정을 적용하지 않는다."는 내용으로 헌법을 개정하려 했다. 그러고는 국회 표결에서 야당의 반발을 무시하고 제2차 (   ) 개헌을 강행했다.

7) 이승만은 4선 대통령에 도전하기 위해 온갖 (   )를 자행했다. 결국 국민들이 이승만 독재를 끝내기 위한 (   )을 시작했다.

(目) 4 · 19 혁명 이후 내각 책임제로 개헌한 까닭은?: 4 · 19 혁명과 5 · 16 군사 정변

1) (   )를 규탄하는 시위가 전국 각지에서 벌어졌다. 경찰은 시위를 강제로 진압했고, 시위 도중 실종된 (   ) 학생의 시신이 마산 앞바다에 떠올랐다. 경찰의 강제 진압으로 사망한 사실이 알려지며 국민은 더욱 분노했다.

2) 고려대학교 학생들이 시위를 벌이고 귀가하던 중 이승만 정부의 사주를 받은 정치 폭력배들의 습격을 받았다. 학생들은 이에 항의하며 경무대로 행진하려 했고, 이로써 (   )이 시작됐다.

3) 이승만 정부는 (   )을 선포하고 군대를 동원해 시위를 진압했지만 사태는 악화됐고, 이승만은 대통령 직위에서 물러난다며 (   )을 발표했다.

4) 4 · 19 혁명은 학생과 시민, 교수 등 다양한 계층이 참여한 (   )이었다. 또한 독재 정권을 시민의 힘으로 무너뜨린 (   )이었다.

5) 혁명 이후 다음 정부 구성을 위해 (   )가 꾸려졌고, 과도 정부는 3차 개헌을 단행했다. 이 개헌은 장기 집권으로 이어질 수 있는 대통령제의 부작용을 막기 위해 (   )로 바꾸었다.

6) 바뀐 헌법에 따라 총선거가 실시되었고, 그 결과, (   )이 들어섰다. 장면 정부는 이승만 독재의 잔재를 청산하기 위해 (   )을 단행했다.

7) 장면 정부는 경제 개발 계획을 추진하려 했다. 하지만 4 · 19 혁명 성공 이후 높아진 국민의 다양한 (   ) 요구를 충족시키지 못했다.

8) 장면 정부의 혼란에 박정희를 중심으로 한 (   )가 장면 정부를 반대하며 5·16 군사 정변을 일으켰다.

9) 군부는 정부의 주요 기관을 모두 장악한 뒤 '혁명 공약'을 발표했다. 군부는 이 공약을 통해 (   )을 국가의 가장 중요한 이념으로 내걸었다.

10) 군부는 헌법을 중지시키고 (   )라는 기구를 출범시켰다. 입법, 행정, 사법의 모든 권력을 장악해 (   )을 실시했다.

11) 국가 재건 최고 회의는 제5차 개헌에서 박정희를 대통령으로 만들기 위해 내각 책임제를 (   )로 다시 바꾸었다. 제5대 대통령은 박정희가 당선됐다.

🅑 베트남 전쟁에 왜 한국군이 파병된 걸까?: 박정희 정부의 독재와 국민의 저항

1) 박정희 정부는 경제 성장에 신경을 썼고, 필요한 (   )을 마련하기 위해 (   )을 체결하여 일본과 국교를 회복했다. 이를 반대하는 대규모 시위가 일어나자 전국에 (   )을 선포하며 진압했고, 협정문에 도장을 찍었다.

2) 박정희 정부는 (   ) 전쟁에 (   )을 파병하는 대신 (   )으로부터 차관을 얻고 베트남의 건설 사업에 참여할 수 있는 권리를 얻었다.

3) 박정희는 3선에 도전하기 위해 (   )을 단행했고 제7대 대통령에 당선됐다. 이후 박정희는 영구 집권을 위해 (   )를 구축하려고 했다.

4) 박정희는 냉전 체제가 흔들리고 있으니 국가 (   )가 더욱 중요하고, 경제를 계속 성장시키고 사회질서를 유지하려면 더 강력한 (   )가 필요하다고 했다.

5) 비상계엄을 선포하고 (   )를 해산했다. 헌법을 중지하고 모든 정치 활동을 금지하며 (   )을 선포했다.

6) 박정희는 제7차 개헌을 단행해 (   )을 만들었다. 유신 헌법에서는 대통령을 자신이 의장으로 있는 통일 주체 국민 회의에서 뽑도록 했다. 그해 박정희는 4선 대통령이 되었다.

7) 4선 대통령의 권한은 더 막강해졌다. (   )은 물론이고, 국회 의원의 3분의 1을 임명할 수 있는 권한까지 가졌다. 재판을 담당하는 (   )도 대통령이 임명할 수 있어 입법, 행정, 사법의 모든 권력을 가지게 되었다.

8) 야당, 시민, 노동자, 학생, 언론은 모두 (   )를 비판했고 전국에서 민주주의를 요구하는 시위가 잇달았다. 그때마다 박정희는 (   )를 발표해 민주화 운동을 탄압했다.

9) 재야인사들은 긴급 조치 철폐와 민주주의 복귀를 촉구했다. 언론과 출판, 집회의 자유를 보장하고 민주 인사들을 석방하라고 요구하는 (   )이 이어졌다.

1980년을 왜 서울의 봄이라고 할까?: 신군부와 5 · 18 민주화 운동

1) 박정희 정부는 YH무역사건으로 (   ) 신민당 총재를 국회에서 제명했다. 김영삼의 근거지인 부산과 마산에서 반발이 일어났고 이후 거대한 (   )으로 변했다. 박정희는 (   )을 선포하고 무력으로 진압했다.

2) 박정희가 측근들과 만찬을 즐기던 중 중앙정보부장 (   )에 의해 피살되는 (   )가 일어났고 유신 체제도 막을 내렸다.

3) 신군부의 10 · 26 사태에 대한 조사가 마무리된 후 통일 주체 국민 회의를 통해 (   )가 대통령으로 선출됐다.

4) 신군부가 병력을 동원해 반대파를 모두 제거한 후 권력을 장악한 (   )가 일어나 최규하는 대통령직에서 물러났다.

5) 유신 체제가 무너지면서 전국에서 (   ) 시위가 일어났다. 서울역에서만 10만여 명의 대학생이 시위를 벌였고, 이들은 유신 세력을 모두 처벌하고 신군부를 퇴진시켜 민주 정부를 수립하자고 외쳤다.

6) 신군부는 (   ) 조치를 전국으로 확대하고 민주화 시위를 탄압했다. 특히 시위가 거셌던 (   )에는 공수 부대를 계엄군으로 파견했고 이에 맞서 대학생들은 전남대학교 앞에서 계엄 해제를 요구하는 (   )을 시작했다.

7) 계엄군은 학생, 시민을 가리지 않고 폭력을 휘둘렀고 많은 시민들이 죽거나 다쳤다. 시민들은 경찰서를 습격해 무기를 빼앗아 (   )을 결성했다.

8) 5 · 18 민주화 운동의 비극적인 사건은 신군부가 (   )을 강력히 통제했기 때문에 다른 지역에 알려지지 않았다. 하지만 (   ) 방송에서는 광주 현장이 그대로 방송되었다.

B 국민은 왜 직선제 개헌을 원했을까?: 전두환 정부의 수립과 6월 민주 항쟁

1) 5 · 18 민주화 운동을 진압한 전두환은 통일 주체 국민 회의에서 대통령으로 선출되었고, 곧바로 개헌을 시작했다. 유신 헌법을 폐지하고, 대통령은 선거인단이 뽑는 (   )를 도입하며 대통령의 임기는 (   )년 단임으로 정하는 (   ) 개헌을 했다.

2) 전두환 정부는 민주화 운동을 탄압했다. (   )을 통해 정부 정책에 비판하는 언론사를 탄압했고 뉴스가 보도되기 전에 (   ) 했다.

3) 전두환 정부는 어수선한 사회 기강을 확립하겠다며 (   )를 만들었다. 폭력이나 마약 전과자, 밀수 사범들을 가두고 교육시켜 사회로 내보낸다며 온갖 폭력을 휘둘렀다.

4) 전두환 정부 때 서울대학교 박종철 고문치사 사건이 발생했다. 이로써 전두환 정권을 퇴진시키기 위한 운동이 시작되었다. 대통령을 국민이 직접 선출하는 (   )로 개헌할 것을 촉구했다.

5) 정권 퇴진과 대통령 직선제 개헌을 촉구하는 시위가 전국적으로 확산되었고, 6월 이후로 거의 매일 전국에서 시위가 벌어져 이를 (   )이라 한다.

6) 시위 도중 연세대학교 학생 이한열이 경찰이 쏜 최루탄에 맞아 사망하는 사건이 발생했고, 국민들의 분노는 커졌다. 결국 전두환 정부는 대통령 직선제를 약속하는 (   )을 발표했다.

7) 국회는 개헌 작업에 착수했고, 5년 단임의 직선제를 핵심으로 한 (   ) 개헌을 했다. 그 해 개정된 법에 따라 신군부 세력 가운데 한 명이었던 (   )가 제 13대 대통령에 당선되었다.

⑮ 금융 실명제는 왜 실시했을까?: 1990년대 이후의 민주주의 발전

1) 노태우 정부는 공산주의 진영 국가들과 외교 관계를 수립하는 (   ) 를 펼쳤다. 그 결과, 남북한 동시 (   ) 가입이 이뤄졌다.

2) 노태우는 대통령으로 있는 동안 (   )을 조성하는 등 많은 부정부패를 저질렀다. 이어 김영삼 정부가 들어섰고 (   )를 구호로 내걸었다.

3) 김영삼 정부는 12 · 12 사태와 5 · 18 민주화 운동을 다시 조명하는 등 (   ) 작업을 통해 전두환과 노태우 전 대통령을 반란 및 내란죄로 법정에 세웠다.

4) 김영삼 정부는 불법 금융 거래를 막기 위해 (   )를 시행했다. 각 지방별로 중앙 정부와 별도로 살림하는 (   )도 실시했다.

5) 김영삼 정부 막바지에 (   )가 터져 결국 국제 통화 기금으로부터 구제 금융을 지원받았다.

6) 해가 바뀌고 여당과 야당 사이에 평화적 정권 교체가 이루어져 (   ) 정부가 들어섰다. 외환 위기를 극복하기 위해 정부가 기업들의 적극적인 (   ) 을 유도했다. 국민들은 (   ) 운동을 벌이며 위기를 넘기는 데 힘을 보탰다.

7) 김대중 정부는 광복 이후 처음으로 (   )을 성사시켰다. 이 해에 김대중은 (   )을 받았다,

8) 김대중 정부의 뒤를 이어 (   ) 정부가 들어섰다. 노무현 정부는 권위주의를 청산하고 시민 사회와 소통하는 데 큰 노력을 기울였으며, 친일파 문제 등 과거사를 정리하는 사업도 벌였다.

9) 노무현 정부의 뒤를 이어 기업가 출신의 (   ) 정부가 출범했다. 선진국들의 경제 모임인 선진 20개국 정상회의를 개최했다.

10) 이명박 정부 다음에는 박근혜 정부가 수립되었지만, 임기를 마치지 못하고 (   ) 되었다. 이어 치러진 선거에서 (   ) 대통령이 당선되었는데, 과거의 부패한 세력을 청산하겠다는 '(   )'과 국민 복지, 지역 발전, 남북 평화 등을 내걸었다.

3. 대한민국의 민주주의 발전 과정을 순서대로 나열해 보자.

보기
• 5 · 18 민주화 운동 • 4 · 19 혁명 • 부마 민주 항쟁 • 6월 민주 항쟁

22장 내용을 한눈에 정리해 보자.

대한민국, 개헌과 정치의 역사

1. 대한민국 건국 이후 9차례에 걸친 개헌 내용과 관련된 정치 변화의 역사를 알아 보자.

정부	개헌	내용
이승만 정부	**제헌 헌법(1948년)** – 5 · 10 총선거에서 선출된 국회에서 제헌 헌법 제정	• 제헌 국회에서 대통령 선출함. • ㉠(　　　　　　) 제정 – 반민족 행위 특별 조사 위원회 구성함. ⇒ 이승만 정부의 비협조로 곧 해체됨. • ㉡(　　　　) 제정, 토지 개혁 시행 ⇒ 농지 소유 제한함.
	1차 개헌(1952년) – 필요한 내용만 골라 ㉢(　　　)이라고 함.	• 6 · 25 전쟁 중 집권당의 강제 개헌 – ㉣(　　　　)로 변경, 이승만 현직 대통령에게 유리한 조항 추가함. **⇒ 이승만, 2대 대통령으로 당선됨.**
	2차 개헌(1954년) – 국회 표결 과정의 문제로 인해 ㉤(　　　) 개헌이라 함.	• 대통령의 출마 횟수 제한 철폐 목적 개헌 – '초대 대통령(이승만)에 한해 중임 제한 규정 적용하지 않는다.'로 개정하려 함. **⇒ 이승만, 3대 대통령으로 당선됨.** **• 이승만, 4선 대통령 출마, 당선됨(1960년).** – 온갖 부정 선거 자행함(3 · 15부정 선거). ⇒ 국민의 분노 폭발, ㉥(　　　) 일어남. ⇒ 이승만, 성명 발표 후 하야함.
과도 정부	**3차 개헌(1960년)** – 대통령제를 ㉦(　　　)로 변경함.	• 대통령의 장기 집권 막기 위해 내각 책임제 도입함. **⇒ 총 선거 실시해 ㉧(　　　) 구성됨.** – 국무총리 장면, 대통령 윤보선 선출됨.

장면 내각	**4차 개헌(1960년)** – 부정 선거 관련자 처벌법 제정함.	• 이승만 독재 잔재 청산을 위한 개헌임. • 경제 개발 계획 마련함. ⇒ ㉧(　　　　　　)으로 군정 실시되며 무너짐.
국가 재건 회의	**헌법 중지(1961년)** – ㉨(　　　) 중심 군부가 장면 정부 반대하며 군사 정변 일으킴.	• 군부, 정부 주요 기관 장악한 뒤 '혁명 공약' 발표 – 국가의 가장 중요한 이념은 '반공', 대한민국의 자주 경제 확립 등 • 초헌법적 기구 ㉩(　　　　　　) 출범
박정희 정부	**5차 개헌(1962년)** – 내각 책임제를 ㉪(　　　) 중심제로 다시 바꿈.	• **개헌 후 5대 대통령 선거, 박정희 당선됨.** • 조국 근대화 – ㉫(　　　　　　) 계획 추진함. • 한일 협정 체결, 일본과 국교 회복함. – 협정 반대 대규모 시위: 비상 계엄령 선포하며 시위 진압 • 베트남 전쟁에 국군 파병 • 6대 대통령, 박정희 당선(1967년)
박정희 정부	**6차 개헌(1969년)** – 대통령 ㉬(　　) 허용함.	• **제7대 대통령 선거, 박정희 당선됨(1971년).** • 국민의 지지가 약해지자 영구 집권을 위해 독재 체제 구축 계획함. ⇒ 비상계엄 선포, 국회 해산, 헌법 중지시킴. ⓐ(　　　　) 선포함.

한눈에 보기

박정희 정부

7차 개헌(1972년)
- ⓑ(　　) 헌법
- ⓒ(　　　　　　　) 로 바꿈.

- 통일 주체 국민 회의에서 대통령 선출함.
  - 의장: 박정희

  ⇒ **8대 대통령, 박정희 당선(1972년, 4선)**
- 대통령 권한 막강해짐.
  - 국회 해산권, 국회 의원 3분의 1 임명권, 법관 임명권: 삼권의 모든 권력 대통령이 가짐. 국민의 기본권을 제한하는 긴급 조치권도 가짐.

  ⇒ 유신 체제 비판, 민주주의 요구 시위 일어남.: 박정희 긴급 조치, 탄압

  ⇒ 재야인사들, 3 · 1 민주 구국 선언 발표함.

  ⇒ **박정희, 9대 대통령 당선(1976년, 5선)**

  ⇒ ⓓ(　　　　) 항쟁 일어나자 비상계엄 선포, 무력 진압

  ⇒ 박정희, 피살됨(1979년, 10 · 26 사태).

신군부

- 10대 최규하 대통령 선출되었으나 ⓔ(　　　)로 물러남.
- 전두환이 이끄는 신군부, 병력 동원하여 반대파 제거하고 권력 장악함(12 · 12 사태).
- 전국에서 민주화 시위 일어남.
  - 신군부, 강경 진압
- 광주에서 ⓕ(　　　　　　　) 시작됨(1980년).
  - 계엄군의 무력 진압, 시민군 제압하며 민주화 운동 끝남.

전두환 정부

- **전두환, 통일 주체 국민 회의에서 지지율 100%로 11대 대통령에 선출됨(1980년).**

전두환 정부

8차 개헌(1980년)
- 유신 헌법 폐지
- 대통령 간선제로 바꿈.

- 선거인단이 뽑는 간접 선거 도입, 대통령 임기는 ⓖ(　　　)으로 정함.
  ⇒ **전두환, 12대 대통령으로 당선됨(1981년).**
- 언론 통폐합, 뉴스 사전 검열, 삼청 교육대 운영
- 야간 통행금지 해제, 해외여행 규제 완화, 교복 자율화 시행
- 아시안 게임 개최, 서울 올림픽 유치
- 국민들의 민주화 운동 지속됨.
  - 전두환 정권 퇴진 운동, 대통령 직선제 개헌 촉구 시위 전국 확산됨.: ⓗ(　　　　　)(1987년)
  ⇒ 6 · 29 민주화 선언 발표: 대통령 직선제 개헌 약속함.

전두환 정부

9차 개헌(1987년)
- 5년 단임의 ⓘ(　　　　) 개헌

- **13대 대통령 선거에서 신군부 중 한 명인 노태우 당선됨(1987년 12월).**

노태우 정부

- 냉전 무너짐에 따라 공산주의 진영 국가들과 외교 관계 수립함.: 북방 외교
- 남북한 동시 ⓙ(　　) 가입(1991년)

김영삼 정부

- 14대 대통령, 김영삼 당선됨(1993년).: 문민정부
- 역사 바로 세우기 작업을 실시함.
- 금융 실명제, 지방 자치제 전면 실시함.
- 경제 협력 개발 기구(OECD) 가입함.
- 외환 위기: ⓚ(　　　　　)(IMF) 지원받음.

한눈에 보기

- 김대중 정부
  - 15대 대통령, 김대중 당선됨(1998년).
    - 최초로 이루어진 평화적 정권 교체
  - ① (   )(2000년)
  - IMF 차입금 모두 갚음(2001년).
  - 한일 FIFA 월드컵 공동 개최(2002)
- 노무현 정부
  - 16대 대통령, 노무현 당선됨(2003년).
  - 과거사 정리 사업 실시
  - 제2차 ⓜ (   )(2007년)
  - 호주제 폐지
- 이명박 정부
  - 17대 대통령, 이명박 당선됨(2008년).
  - G20 정상회의 개최
- 박근혜 정부
  - 18대 대통령, 박근혜 당선됨(2013년).
  - 국정 농단 사태로 탄핵됨(2017년).
- 문재인 정부
  - 19대 대통령, 문재인 당선됨(2017년).

9차 개헌(1987년)
- 5년 단임의 대통령 직선제 개헌

1. 다음 물음에 답해 보자.

• 동학 농민 운동	• 3 · 1운동	• 소작쟁의 · 노동쟁의
• 4 · 19혁명	• 부마 항쟁	• 5 · 18 민주화 운동
• 6월 항쟁		

1) 위 사건들의 공통점이 무엇인지 생각해 보자.

2) 위 사건 중에 우리 사회 민주주의 정신의 뿌리라고 생각하는 사건을 선정하고 이유와 함께 써 보자.

2. 21세기 대한민국 민주주의가 더 발전하기 위해 앞으로 갖추어야 할 점은 무엇일지 생각해 보자.

실력 키우기

01. 빈칸에 들어갈 알맞은 내용을 고르시오.

1) 이승만 정부는 1954년 초대 대통령에 한해 중임 제한을 폐지하는 (발췌 / 사사오입) 개헌을 실시했다.

2) 박정희는 대통령이 국회의원을 임명할 수 있고, 법관도 임명할 수 있는 (긴급 조치 / 유신헌법)을/를 만들었다.

3) 신군부 세력이 최규하 대통령을 물러나게 하고 권력을 장악한 사건을 (12 · 12 사태 / 10 · 26 사태)라고 한다.

4) 국민이 직접 대통령을 뽑는 대통령 직선제를 요구하며 전국적으로 시위가 벌어진 것을 (부마 민주 항쟁 / 6월 민주 항쟁)이라고 한다.

02. 다음과 같은 일들이 있었던 정부로 옳은 것은?

• 금융실명제	• 지방자치제 전면 도입	• 경제 협력 개발 기구 가입

① 박정희 정부　② 전두환 정부　③ 노태우 정부
④ 김영삼 정부　⑤ 김대중 정부

03. (가)에 들어갈 정부에서 있었던 일로 옳은 것은?

전두환 정부	→	(가)	→	김영삼 정부

① 북한과의 관계를 개선하여 남북 정상 회담을 성사시켰다.

② 사회주의권 국가와 외교 관계를 수립했다.

③ 고위 공직자 재산 등록제를 실시했다.

④ 언론 통폐합을 통해 언론의 자유를 탄압했다.

⑤ 일본과 함께 2002년 월드컵을 유치했다.

04. (가)~(마) 시기에 대한 설명으로 옳지 않은 것은?

(가)	4 · 19 혁명	(나)	5 · 16 군사정변	(다)	5 · 18 민주화 운동	(라)	6월 항쟁	(마)

① (가) - 미국의 무상 원조가 감소하여 경제 상황이 좋지 않았다.

② (나) - 대통령 중심제에서 내각 책임제로 헌법이 개정되었다.

③ (다) - 유신 체제에 반대하는 재야인사들이 3 · 1 민주 구국 선언을 발표했다.

④ (라) - 야당 총재를 국회에서 제명하자 부마 민주 항쟁이 일어났다.

⑤ (마) - 현대사에서 최초로 평화적으로 정권이 이양됐다.

Chapter 23

평화 통일을 위한 노력

통일은 우리의 사명이다

책을 읽기 전에

23장 본문을 통해 알아두어야 할 내용이 무엇인지 생각하며 다음을 읽어 보자.

- 6·25 전쟁이 터지게 된 요인을 다양하게 설명해 보세요.
- 6·25 전쟁 이후 분단이 고착화되면서 나타난 현상에 대해 이야기해 보세요.
- 7·4 남북 공동 성명의 3대 통일 원칙에 대해 이야기해 보세요.
- 남북 통일이 꼭 필요한 이유를 다양한 관점에서 설명해 보세요.

책을 읽으며

1. 평화 통일을 위한 노력의 내용을 읽으며 중요하다고 생각하는 부분에 밑줄 쳐 보자.

2. 부분별로 읽은 내용을 생각하며 빈칸을 채워 보자.

정전 협정문에 이승만 정부가 서명하지 않은 까닭은?: 남북 북단과 6·25 전쟁의 발발

1) 광복 이후 북위 (　　　　) 선을 기준으로 남과 북에 각각 미국과 소련의 군정이 실시됐다. 통일 정부 수립을 주장하는 좌우 합작 운동이 추진됐다. (　　　　)는 북한의 김일성을 만나 회담을 했지만 분단을 막지 못했다.

2) 1948년 남한에 대한민국 정부가 수립됐다. 그러자 북한도 최고 인민 회의를 조직해 헌법을 만들고 (   )을 수상으로 뽑아 조선 민주주의 인민 공화국 수립을 선포했다.

3) 남한과 북한에 각각 정부가 들어선 후 38도 선에서는 총격전이 자주 벌어졌다. 이런 상황에서 미국 국무 장관 애치슨이 "공산주의 진영으로부터 미국이 방어하는 태평양 방위선을 알래스카 - 일본 - 오키나와 - 필리핀까지로 한다."는 (   )을 발표했다.

4) 애치슨 선언에서 미국의 방위선에 (   )가 포함되지 않은 것은 북한으로서는 한국을 침공하기 좋은 기회였다. 실제로 북한은 소련과 중국의 지원을 받으며 군사력을 증강했고, 1950년 6월 25일 (   )을 감행했다.

5) 우리 국군은 6 · 25 전쟁 3일 만에 (   )을 빼앗겼고, 한 달 만에 한반도 남단 낙동강 유역까지 후퇴했다. 이승만 정부는 (   )을 임시 수도로 정한 뒤 그곳에서 정치를 했다.

6) 전쟁이 터지고 한 달 만에 유엔 안전 보장 이사회는 북한의 침략을 비난하며 남한을 돕기 위해 (   ) 파견을 결의했다. 이에 따라 16개 나라에서 병력을 한반도에 보냈다. 그 외 의료 지원이나 전쟁 물자 지원을 한 나라까지 포함하면 63개국이 한국을 도왔다.

7) 국군과 연합군은 (   )을 성공하면서 서울을 되찾았고, 곧바로 38도 선을 넘어 북쪽으로 진격했다. 10월에는 평양을 점령했고, 압록강 유역까지 진격했다.

8) 통일을 눈앞에 둔 순간, (   )이 대거 참전하며 국군과 연합군은 다시 후퇴했고 서울을 빼앗겼다. 이후 70여 일 만에 서울을 되찾았다.

9) 전쟁이 터지고 1년여 만에 전쟁을 끝내기 위한 (   )이 시작되었다. 협상은 2년을 끌었고 유엔군 대표와 북한군, 중국군이 협정문에 서명하면서 전쟁은 멈추었다.

7 · 4 남북 공동 성명의 3대 통일 원칙은?: 남북 교류와 통일 노력

1) 6 · 25 전쟁 후 한반도는 확실한 (   )이 되어 버렸다. 대립과 긴장감이 커지고 사고방식이나 생활 방식까지 달라지면서 이질감이 심해졌다.

2) 1970년대로 접어들면서 냉전 체제가 완화되기 시작했다. 남북한 사이에 교류가 시작되고 가장 먼저 (   )을 만나게 해 주자는 논의가 오갔고 이를 실현하기 위해 (   )이 열렸다.

3) 남한과 북한이 동시에 통일을 위한 (   )을 발표했다. 분단 이후 최초로 남북한 정부가 통일에 필요한 원칙에 합의하고 이를 공동 성명 형태로 발표한 것이다.

4) 7 · 4 남북 공동 성명에서는 (   )의 3대 통일 원칙을 제시했다.

5) 북한의 김일성은 6 · 25 전쟁이 끝난 후 승리하지 못한 책임을 물어 반대파를 제거하고, 1960년대 소련과 중국의 사이가 나빠지자 어느 쪽의 편도 들지 않고 북한이 자주적으로 국가를 운영한다는 (   )을 내세웠다.

6) 1980년대 중반 전두환 정부 때 남북한 이산가족이 상봉하는 자리가 마련됐다. 더불어 예술 공연단도 처음으로 서로 오갔다. 냉전 체제가 붕괴되기 직전인 노태우 정부 때는 국제 대회에서 탁구와 축구, 두 종목의 (   )이 출전하기도 했다.

7) 1991년 남북한은 동시에 (   )에 가입했다. 상대방의 체제를 인정하고, 서로 침략하지 않으며, 교류와 협력을 통해 민족의 동질성을 회복해 나간다는 내용의 남북한 (   )도 채택했다.

8) 남북한은 한반도 (   )에도 합의했다. 이 선언은 한반도를 비핵화해서 핵전쟁의 위험을 막고 한반도와 세계의 평화에 기여하자는 내용을 담았다.

9) 김영삼 정부도 북한이 식량난을 겪자 (   )과 (   )를 지원하며 통일 노력을 이어갔다. 또 '적대와 불신 청산 및 상호 신뢰 구축 → 남북 연합 → 통일 정부와 통일 국가 건설' 3단계로 구성된 (   ) 방안을 제시했다.

10) 김대중 정부는 북한과 화해하고 협력하는 (   )을 추진했다. 남북 교류가 활발해지면서 (   ) 관광이 이루어졌고 (   )을 만들기 위한 논의가 시작되었다.

11) 김대중은 평양을 방문해 김정일과 (   )도 열었다. 회담을 끝내고 두 정상은 (   )을 발표했다. 선언문을 통해 두 정상은 우리 민족이 자주적으로 통일을 추진하며 모든 분야에서 교류를 강화하기로 했다.

12) 노무현 정부는 김대중 정부의 햇볕 정책을 계승했다. 다시 평양을 방문해 제2차 남북 정상 회담을 가졌다. 회담을 마친 후 두 정상은 6 · 15 공동 선언을 발전시키기로 합의하면서 (   )을 발표했다.

13) 통일을 위한 노력이 꾸준히 계속되고 있지만, 북한이 군사적으로 도발할 때가 많았다. 연평도 포격 사건, 천안함 피격 사건이 대표적이다. 북한의 (   ) 강행과 미사일 개발도 긴장을 고조시키는 원인이 되고 있다.

14) 남북통일은 한반도에 평화가 정착되고, 불필요한 군사 경쟁을 하지 않아도 되고, (　　　　　) 예산도 줄일 수 있기 때문에 필요하다. 또 오랫동안 분열되어 있던 민족을 다시 하나로 합쳐 (　　　　　)을 회복할 수 있다. 수십 년 동안 남과 북으로 갈라져 살아온 (　　　　　)의 고통도 해소할 수 있다.

3. 우리나라 역대 정부와 관련한 일들을 2~3가지씩 정리해 보자.

노태우 정부

김영삼 정부

김대중 정부

노무현 정부

한눈에 보기

23장 내용을 한눈에 정리해 보자.

광복부터 남북 분단까지

1. 빈칸을 채우며 1945년 일제로부터 해방된 이후 남북이 각각 국가를 세우며 분단되기까지 과정을 간단히 알아보자.

광복
(1945년 8월 15일)

→

미소 군정 실시
- 북위 38도선 기준 남(미국), 북(소련) 군정 시작함.

↓

㉠(　　　) 합작 운동
- 통일 정부 수립 주장함.
- 김구, 북한에서 김일성과 회담

⇒ 실패/분단, 기정사실화됨.

㉡(　　　　) 정부 수립
- 남한 정부 수립(1948년 8월)

조선 민주주의 인민 공화국 수립
- 북한 정부 수립(1948년 9월)

한눈에 보기

6 · 25 전쟁

1. 분단국가가 된 남한과 북한이 겪은 6 · 25 전쟁 과정을 정리해 보자.

1) 빈칸을 채우며 전쟁의 배경이 되는 당시 상황을 알아보자.

전쟁 배경
• 남 · 북 대립: 각 정부 수립 후 38도선에서 총격전 자주 벌어짐. • ㉠(   ) 선언 발표: 미국의 방위선에 ㉡(   )가 포함되지 않았음. ⇒ 북한의 한국 침공 기회가 됨. 북한, 소련과 중국의 지원 아래 군사력 증강시킴.

2) 6 · 25 전쟁 과정에 맞는 순서대로 번호를 매겨보자.

전쟁 과정

① 북한군의 남침 (1950년 6월 25일)	○ 유엔 안전 보장 이사회, 유엔군 파견 결의 • 16개 나라, 병력 파견함.	○ 인천 상륙 작전 • 상륙 작전 성공하며 국군과 연합군, 서울 되찾음.
○ 남, 낙동강 유역까지 후퇴 • 부산을 임시 수도로 정함.	⑤ 평양 점령, 압록강 유역까지 진격함.	○ 중국군 참전
○ 정전 협상 시작됨. • 2년 동안 협상 지속됨.	○ 지루한 소모전 계속됨.	○ 서울을 빼앗겼다가 70여 일 만에 되찾음.
⑩ 정전 협정문 서명 • 유엔군 대표, 북한군, 중국군, 서명하며 전쟁이 사실상 끝남. • 이승만 정부, 서명하지 않음.		

3) 전쟁으로 인한 피해를 알아보자.

전쟁의 피해
• 인명 피해: 군인 62만 명, 민간인 99만 명 희생(남), 군인 60만 명, 민간인 150만 명 희생(북), 15만 명 희생(유엔군), 10만 명의 고아, 1,000만 명의 이산가족 발생 • 산업 시설 파괴: 남북한 전체 공업 시설의 45% 파괴됨. • 남한과 북한 사이 적대감이 커지고 서로 증오하게 됨.

(B) 휴전 이후, 남한의 통일 노력 60년

1. 빈칸을 채우며 6 · 25 전쟁 이후 남북 관계 변화를 위해 각 정부에서 한 일을 알아보자.

1950~60년대
- 남북 대립 커지고 이질감 심해짐.

1970년대

〈박정희 정부〉
- 냉전 체제 완화되면서 남북한 사이 교류 시작됨.
- 남북 적십자 회담 열림(1971년).
- ㉠(   ) 발표(1972년)
  - 자주, 평화, 민족 대단결의 3대 통일 원칙 제시
- 1972년 이후 남북 교류, 통일 논의 진행되지 않음.

1980년대

〈전두환 정부〉
- 남북한 ㉡(   ) 상봉, 남북 공연단 공연(1985년)

〈노태우 정부〉
- 국제 대회에서 탁구, 축구 남북 단일팀 출전
- 남북한 동시 ㉢(   ) 가입(1991년)
- 남북한 기본 합의서 채택, 한반도 비핵화 공동 선언(1991년)

1990년대

〈김영삼 정부〉
- 통일 노력 계속함.
  - 북한에 쌀, 비료 지원
  - 상호 신뢰 구축–남북 연합–통일 국가 건설의 ㉣(   ) 제시(1993년)

2000년대

〈김대중 정부〉
- ㉤(   ) 추진
  - 금강산 관광, 개성 공단 건설 논의 시작됨.
- ㉥(   ), 6 · 15 남북 공동 선언 발표(2000년)

〈노무현 정부〉
- 2차 남북 정상 회담, ㉦(   ) 발표(2007년)

1. 다음은 지금까지 남북이 시도했던 협력 사업의 사례들이다. 이 중에서 다시 시도하면 좋을 것 같은 사업을 뽑고, 그 이유를 말해 보자.

- 올림픽 등 국제경기에 남북 선수들로 구성된 단일팀 출전
- 분단으로 헤어진 가족을 찾기 위한 이산가족 찾기 행사
- 개성공단 사업 - 북측의 값싼 노동력으로 품질 좋은 남한 제품 생산
- 남북 관광 사업 - 금강산 등 북한의 관광 명승지 관광
- 남북 문화 교류 - 남북 연예인, 예술단 등 상호교류

2. 위에 언급한 사례들 외에 추진하면 좋을 것 같은 사업과 그를 통해 얻을 수 있는 효과를 설명해 보자.

3. 위와 같은 사업이 꾸준히 이어지기 위해 서로가 가져야 할 태도에는 어떤 것들이 있을지 생각해 보자.

실력 키우기

01. 다음 사건을 일어난 순서대로 쓰시오.

ㄱ. 북한군의 남침	ㄴ. 중공군 개입
ㄷ. 1 · 4 후퇴	ㄹ. 인천 상륙 작전
ㅁ. 부산 임시 수도 지정	ㅂ. 휴전 협정 체결

02. 다음 남북한의 통일 노력이 이루어진 시기를 바르게 연결하시오.

① 6 · 15 남북 공동 선언	•	•	박정희 정부
② 7 · 4 남북 공동 성명	•	•	전두환 정부
③ 남북 기본 합의서	•	•	노태우 정부
④ 최초 남북 이산가족 상봉	•	•	김대중 정부

03. 다음 중 남북 통일에 대한 인식으로 바르지 않은 것은?

① 한반도에 평화가 정착되기 때문에 필요하다.

② 민족의 동질성을 회복하기 위해 반드시 이뤄져야 한다.

③ 불필요한 군사 경쟁을 하지 않아도 된다.

④ 가족의 생사를 확인하지 못하는 민족의 고통을 해소할 수 있다.

⑤ 다른 민족의 위협으로부터 자유로워질 수 있다.

정답 및 해설

정답 및 해설

Chapter 12

책을 읽기 전에

* [예시 답] 생략

[해설] 본격적으로 책 읽기에 앞서 12장과 관련된 질문에 답을 떠올리며 본문 내용을 예측해 본다.

책을 읽으며

1. [예시 답] 생략

[해설] 소제목 단위로 나눠 읽으며 중요하다 싶은 내용에 밑줄을 쳐 본다. 읽은 후 문제로 나올 만한 내용을 찾는다는 느낌으로 중요한 내용을 생각해 본다.

2. [해설] 스스로 읽으며 밑줄 친 내용과 일치하는지, 어떤 내용이 질문으로 제시되었는지 생각하며 읽는다.

(目) 조선은 왜 한양을 수도로 정했을까?: 조선 건국과 한양 천도

1) 요동, 위화도, 신흥 무인, 신진 사대부
2) 토지, 과전법
3) 온건파, 급진파, 정몽주, 조선
4) 귀족, 사대부
5) 조선, 한양
6) 유교, 인의예지, 흥인지문, 숭례문
7) 효, 종묘, 사직단
8) 경복궁, 광화문, 근정전, 품계석
9) 사정전, 편전
10) 강녕전, 교태전

(目) 태종이 호패법을 실시한 까닭은?: 조선의 국가 기틀 확립

1) 정도전
2) 성리학, 불교
3) 재상, 유교, 이방원
4) 이방원, 태종
5) 사병, 왕권, 의정부, 6조
6) 호패, 조세, 군역
7) 신문고
8) 세종, 유교
9) 인본, 집현전, 경연, 서연
10) 의정부, 왕권, 신권
11) 백성, 세금, 전분육등법, 연분구등법
12) 훈민정음
13) 측우기, 쓰시마, 여진
14) 문종, 단종
15) 김종서, 세조
16) 6조, 경연, 집현전
17) 직전법
18) 북방, 경국대전
19) 성종, 홍문관
20) 관수관급제, 수조권
21) 유교

(目) 왕은 왜 신하들과 토론을 벌였을까?: 통치 체제 정비 : 중앙 및 지방 조직

1) 의정부, 6조
2) 3사, 사헌부, 사간원, 홍문관
3) 승정원, 의금부, 왕권

4) 춘추관

5) 8도, 군, 현

6) 관찰사

7) 수령, 아전, 향리

8) 유향소

9) 읍성

농민도 과거 시험을 볼 수 있었을까?: 군사 조직, 조세 제도 및 관리 선발 제도

1) 5위, 한양

2) 군역, 양인, 군포

3) 봉수대

4) 역참

5) 전세, 공물, 역

6) 환곡

7) 경창, 조운, 평안도, 함경도

8) 문과, 무과, 잡과, 3년

9) 문관, 소과, 대과

10) 4부, 양인, 향교

11) 양반, 무과

12) 5품, 음서

13) 천거, 현량과

여자도 부모의 재산을 물려받았다고?: 《경국대전》에 나타난 조선 사회

1) 6조

2) 신분, 양천제

3) 양인, 과거, 벼슬

4) 결혼, 노비

5) 딸, 재산, 상속, 제사

세종이 왜인에 삼포를 개항한 까닭은?: 조선의 외교 정책 및 대외 교류

1) 명, 사대

2) 일본, 여진, 교린

3) 회유, 토벌

4) 쓰시마

5) 이종무

6) 교역, 삼포

7) 여진, 압록강, 최윤덕, 4군

8) 여진, 6진, 압록강, 두만강

9) 명

10) 일본, 여진

11) 태국, 인도네시아

3. [예시 답] 생략

[해설] 조선 초기의 왕들 중 기억나는 왕의 이름과 관련 업적을 간단히 메모하거나 머릿속으로 정리해 본다. 12장 내용에 수록된 조선의 왕은 태조 - 정종 - 태종 - 세종 - 문종 - 단종 - 세조 - 예종 - 성종이다.

한눈에 보기

조선의 기틀을 다진 태조부터 성종까지

1. ㉠ 성리학, ㉡ 정도전, ㉢ 태종, ㉣ 국왕, ㉤ 민본, ㉥ 조화, ㉦ 세조, ㉧ 국왕, ㉨ 경국대전, ㉩ 성종, ㉪ 강화, ㉫ 완성

[해설] 조선 초기 태조부터 성종까지 주요 왕들의 업적을 정리한다.

조선의 통치 체제

1. ㉠ 승정원, ㉡ 3사, ㉢ 6조

[해설] 조선의 중앙 정치 조직이 어떻게 구성되어 있는지, 맡은 업무는 무엇인지 정리하며 알아본다.

2. ㉠ 8도, ㉡ 군, ㉢ 수령, ㉣ 향리

[해설] 조선의 지방 행정 조직과 해당 관리들의 업무를 알아본다.

3. ㉠ 한양, ㉡ 지방군, ㉢ 양인, ㉣ 군포, ㉤ 전세, ㉥ 특산물, ㉦ 역
[해설] 조선의 군사 조직과 조세 제도는 어떻게 시행되었는지 알아본다.

4. ㉠ 소과, ㉡ 대과, ㉢ 성균관, ㉣ 양인, ㉤ 유교 경전, ㉥ 잡과, ㉦ 천거
[해설] 조선의 관리 선발 제도를 종류와 선발 방식에 따라 정리한다.

B 조선의 외교 정책 및 대외 교류

1. ㉠ 명, ㉡ 사대, ㉢ 교린, ㉣ 삼포, ㉤ 4군 6진
[해설] 조선이 주변 국가들에 대해 시행한 외교 정책을 알아본다.

2. ㉠ 인삼, ㉡ 농기구, ㉢ 서적, ㉣ 동남아시아
[해설] 주변 국가들과 교류하며 조선이 수출·수입한 품목을 정리한다.

역사 논술

1. 1) [정답] ㉠ 과전법, ㉡ 태종, ㉢ 세종, ㉣ 6조 직계제, ㉤ 호패법, ㉥ 셋째 아들, ㉦ 4군 6진, ㉧ 세조, ㉨ 직전법, ㉩ 집현전, ㉪ 경국대전, ㉫ 홍문관

2) [정답] ① 6조 직계제: 6조의 정무를 의정부를 거치지 않고 왕에게 직접 보고 하면 왕이 직접 살피고 처리하는 제도이다. ② 호패법: 16세 이상의 모든 남자에게 이름, 태어난 해, 특징 등을 쓴 증명패를 발급했다. ③ 사병폐지: 개국 공신들이 소유하고 있는 사병을 없애는 제도. ④ 직전법: 현직 관리에게만 수조권을 지급한 제도.

실력 키우기

01. [정답] ②
[해설] ① 조선은 신진 사대부가 중심이 된 나라이다. ③ 남존여비와 같은 차별은 16세기 이후에 나타났다. ④ 과거시험에는 양인 이상이면 누구나 응시할 수 있었다. ⑤ 중앙집권체제는 국왕을 중심으로 한 통치체제이다.

02. [정답] (ㄱ) - (ㄴ) - (ㄹ) - (ㅁ) - (ㄷ)
[해설] (ㄱ) 과전법, 1391, (ㄴ) 사병 폐지 - 태종, (ㄷ) 경국대전 완성 - 성종, (ㄹ) 쓰시마섬 정벌 - 세종, (ㅁ) 집현전 폐쇄 - 세조

03. [정답] ③
[해설] 생략

04. [정답] ③
[해설] 4부 학당은 한양에 있었던 교육 기관이다.

05. [정답] ②
[해설] 지도는 세종 대왕 때 개척한 4군 6진을 나타낸다. ① 세종은 왕권과 신권의 조화를 이루었으므로 적절치 않다. ③ 백성들의 형편을 살펴 합리적인 조세 정책을 펼친 것은 맞지만 균등하게 거둔 것은 아니다. ④ 집현전에서 과학 기술을 연구하지 않았다. ⑤ 교린 정책은 강경책과 회유책을 병행하는 것을 말한다.

06. [정답] ③

[해설] ③ 지방에 파견된 수령을 관리, 감독한 것은 관찰사였다.

07. [정답] (가) 사간원, (나) 사헌부

Chapter 13

책을 읽기 전에

* [예시 답] 생략

[해설] 본격적으로 책 읽기에 앞서 13장 도입부에서 제시하는 목표를 읽으며 기억해야 할 내용을 생각해 본다.

책을 읽으며

1. [예시 답] 생략

[해설] 소제목 단위로 나눠 읽으며 중요하다 싶은 내용에 밑줄을 쳐 본다. 읽은 후 문제로 나올 만한 내용을 찾는다는 느낌으로 중요한 내용을 생각해 본다.

2. [해설] 스스로 읽으며 밑줄 친 내용과 일치하는지, 어떤 내용이 질문으로 제시되었는지 생각하며 읽는다.

Ⓑ 성종이 사림을 발탁한 이유는?: 사림의 등장

1) 계유정란, 훈구
2) 사육신, 생육신
3) 사림, 왕도
4) 훈구
5) 사림, 김종직
6) 삼사
7) 사화

Ⓑ 연산군 실록이 없는 까닭은?: 훈구와 사림의 갈등 그리고 4대 사화

1) 사초, 무오사화
2) 조의제문
3) 갑자사화
4) 훈구, 중종반정
5) 성종, 사림
6) 조광조, 현량과
7) 소격서
8) 도학, 기묘사화
9) 을사사화

Ⓑ 성리학에서는 왜 여자와 남자가 동등하지 않을까?: 서원과 향약을 통한 성리학 질서의 확산

1) 사화, 서원, 향약
2) 훈구, 사림
3) 성리학
4) 서원, 사당
5) 성리학
6) 백운동, 안향
7) 소수
8) 토지, 세금
9) 수령, 향리, 유향소
10) 향약, 유교
11) 고을, 사림
12) 성리학
13) 삼강오륜
14) 유학, 소학

Ⓑ 사림은 어떻게 동인과 서인으로 분열했을까?: 사림의 집권과 붕당 정치의 시작

1) 기성, 신진
2) 동인, 서인, 붕당, 분당

3) 동인, 영남학파

4) 서인, 기호학파

5) 왕도, 유교

6) 정여립, 동인, 기축옥사

7) 강경파, 온건파, 북인, 남인

3. [예시 답] 사림 세력은 서원과 향약을 통해 성리학적 사회 질서를 향촌 사회에 확산시키면서 세력을 키워 16세기 이후 중앙 권력을 장악할 수 있었다.

한눈에 보기

사림이 화를 입은 사화

1. ㉠ 훈구, ㉡ 사림, ㉢ 김종직, ㉣ 무오, ㉤ 갑자, ㉥ 기묘, ㉦ 을사, ㉧ 연산군, ㉨ 중종

[해설] 사림이 중앙 정계에 등장하며 기존의 권력을 장악한 훈구 세력과 대립하는 과정에서 화를 입게 되는 네 번의 사화 내용을 정리한다.

사화 이후 사회의 변화

1. ㉠ 제사, ㉡ 교육, ㉢ 성리학, ㉣ 유교, ㉤ 조광조

[해설] 네 번의 사화를 겪었음에도 결국 중앙 정계를 장악하는 사림의 이념적 발판이 되는 서원과 향약에 대해 알아본다.

사림의 분당, 붕당 정치

1. ㉠ 사림, ㉡ 동인, ㉢ 서인, ㉣ 남인, ㉤ 북인

[해설] 16세기 중반부터 사림이 분당하는 과정과 각 붕당의 특징을 알아본다.

역사 논술

1. 1) [예시 답] [가] 글은 군주는 국가 번영이라는 목표만 이룰 수 있다면 그 방법이 다소 비열해도 상관없다는 견해다. [나]글은 군주의 목적은 오로지 백성이어야 하며, 군주는 하늘의 뜻, 즉 도(道)를 몸소 실천해야 한다고 주장한다. 다시 말해, [가]는 목적이 옳으면 수단과 방법은 정당화될 수 있다는 입장인 반면, [나]는 목적과 방법이 모두 옳아야 함은 물론 군주가 백성에 모범을 보여야 한다는 입장이다.

2) [예시 답] 생략

[해설] 현대 사회를 이끄는 통치자에게 필요한 태도를 생각해 보는 활동이다. 제시된 의견 중 한쪽 측면만 집중해서 생각하기보다는 폭넓게 생각해 보는 기회로 삼도록 지도한다. 특히 전제정치 시기가 아닌, 복잡다단한 현대 사회의 특징을 참고한다면 더 다양하고 깊이 있게 생각해 봐야 할 것이다.

실력 키우기

01. [정답] ①

[해설] '훈구파'에 대한 설명을 고르는 활동이다. ㄱ, ㄴ, ㅁ은 훈구파에 대한 설명이고, ㄷ, ㄹ, ㅂ은 사림파에 대한 설명이다.

02. [정답] 무오사화 - ㉡ - ①, 갑자사화 - ㉣ - ②, 기묘사화 - ㉠ - ③, 을사사화 - ㉢ - ④

03. [정답] ①

[해설] 보기 글은 조광조가 현량과 실시를 주청하는 내용이다. ①의 위훈 삭제는 중종반정 때 잘못된 논공행상을 바로 잡은 것을

말한다.

04. 1) [정답] 이조 전랑

2) [정답] 북인, 조식

3) [정답] 동인, 영남학파

05. [정답] ①

[해설] ① 백운동 서원은 공자를 기리기 위한 사당이 아니다.

Chapter 14

책을 읽기 전에

* [예시 답] 생략

[해설] 본격적으로 책 읽기에 앞서 14장 도입부에서 제시하는 목표를 읽으며 기억해야 할 내용을 생각해 본다.

책을 읽으며

1. [예시 답] 생략

[해설] 소제목 단위로 나눠 읽으며 중요하다 싶은 내용에 밑줄을 쳐 본다. 읽은 후 문제로 나올 만한 내용을 찾는다는 느낌으로 중요한 내용을 생각해 본다.

2. [해설] 스스로 읽으며 밑줄 친 내용과 일치하는지, 어떤 내용이 질문으로 제시되었는지 생각하며 읽는다.

(日) 세종은 왜 세자에게 섭정을 맡겼을까?: 훈민정음 창제

1) 한글

2) 한자, 이두

3) 훈민정음, 의정부, 세자

4) 소리, 유학자

5) 반포, 용비어천가

6) 월인천강지곡

(日) 실록을 만든 후 사초를 폐기한 까닭은?: 다양한 서적의 편찬

1) 실록청, 조선왕조실록

2) 사고, 유네스코

3) 사초

4) 고조선, 고려

5) 유교, 삼강행실도

6) 국방력, 동국여지승람

7) 혼일강리역대국도지도

8) 농업, 농사직설

9) 주자소, 갑인자

(日) 세종은 왜 《칠정산》을 만들라고 했을까?: 조선 전기의 과학 발전

1) 천문학

2) 통치자

3) 천체, 고구려

4) 혼천의, 칠정산

5) 장영실

6) 앙부일구, 자격루, 측우기

7) 향약집성방

8) 여진, 왜구, 신기전

(日) 세종 시기를 조선의 르네상스라 부르는 까닭: 조선 전기 양반 문화의 발전

1) 사대부

2) 금오신화

3) 도화서, 안견

4) 사군자

5) 분청사기, 백자

6) 향악, 종묘 제례악

3. 훈민정음, 조선왕조실록, 농사직설, 갑인자

한눈에 보기

⑮ 세종이 만든 조선의 문화

1. ㉠ 훈민정음, ㉡ 백성, ㉢ 삼강행실도, ㉣ 농사직설, ㉤ 갑인자

[해설] 조선의 르네상스를 만들었던 세종 대의 업적을 정리한다

2. ㉠ 조선 왕조 실록, ㉡ 동국통감, ㉢ 혼일강리역대국도지도, ㉣ 천상열차분야지도, ㉤ 금오신화, ㉥ 몽유도원도, ㉦ 종묘 제례악

[해설] 조선 전기 문화 발전 관련 내용 중 세종 대의 업적 제외한 내용을 알아본다.

역사 논술

1. 1) [정답] 근대 이전 사람들은 하늘과 인간이 서로 통한다고 생각했다. 특히 군주가 잘못을 많이 하면 하늘이 노해 자연재해로 하늘의 뜻을 나타낸다고 생각했다.

2) [정답] 하늘의 뜻을 잘 아는 자가 제왕이 될 수 있으므로 조선 건국의 정당성을 뒷받침하고 중앙 집권 체제를 강화하기 위해서 천문학이 발달했을 것이다.

실력 키우기

01. [정답] ④

[해설] 화통도감은 고려 말기에 설치된 임시 기구이다.

02. [정답] 혼일강리역대국도 지도

03. [정답] ②

[해설] 세종은 박연으로 하여금 아악을 향악으로 바꾸어 종묘 제례악을 완성하게 했다. 성종 때에는 《악학궤범》을 펴내 궁중 음악을 집대성했다.

04. [정답] ②

[해설] 모두 지리서로, 국가 통치에 필요한 지리적 지식을 확보하여 중앙 집권 체제 강화에 도움을 주었다.

Chapter 15

책을 읽기 전에

* [예시 답] 생략

[해설] 본격적으로 책 읽기에 앞서 15장 도입부에서 제시하는 목표를 읽으며 만나게 될 사건들을 미리 생각해 본다.

책을 읽으며

1. [예시 답] 생략

[해설] 소제목 단위로 나눠 읽으며 중요하다 싶은 내용에 밑줄을 쳐 본다. 읽은 후 문제로 나올 만한 내용을 찾는다는 느낌으로 중요한 내용을 생각해 본다.

2. [해설] 스스로 읽으며 밑줄 친 내용과 일치하는지, 어떤 내용이 질문으로 제시되었는지 생

각하며 읽는다.

日 일본은 왜 정명가도를 요구했을까?: 임진왜란의 발발과 전개

1) 전쟁, 국방력
2) 전국, 임진왜란
3) 부산
4) 한양, 개성
5) 평양, 의주
6) 붕당, 서인, 동인
7) 이이, 군대

日 일본이 정유재란을 일으킨 까닭은?: 조선의 반격과 왜란의 종결

1) 수군
2) 이순신, 옥포, 학익진
3) 곡창, 차단
4) 의병
5) 명, 평양
6) 전주, 행주산성
7) 휴전, 정유재란
8) 명량
9) 노량
10) 화포, 거북선, 조총
11) 판옥선

日 광해군은 왜 대동법을 실시했을까?: 임진왜란의 영향과 조선의 변화

1) 7년
2) 에도
3) 유정, 포로
4) 기유조약, 왜관
5) 명, 여진족, 후금
6) 청
7) 70, 불국사, 일본
8) 광해군
9) 공납, 대동법
10) 공인
11) 양전
12) 허준, 동의보감
13) 신분, 노비문서

日 광해군이 '중립 외교'를 편 까닭은?: 병자호란의 발발

1) 광해군, 전쟁
2) 남인, 북인
3) 서인
4) 영창 대군, 유교
5) 후금, 명, 중립 외교
6) 서인, 성리학
7) 인조반정
8) 북인, 친명배금
9) 훈련도감, 어영청
10) 이괄, 공주
11) 후금, 정묘호란
12) 강화도, 화친, 주화파
13) 청, 군신, 척화파, 병자호란
14) 한양, 남한산성
15) 주화파, 삼전도

日 조선의 조총 부대가 러시아를 이긴 전투가 무엇일까?: 북벌의 추진과 결과

1) 청, 조공
2) 소현 세자, 효종
3) 주전파
4) 북벌, 어영청
5) 청, 효종
6) 군대, 나선, 러시아

3. [예시 답]

- 판옥선과 거북선 같은 우수한 함선을 보유하고 있었으며, 사정거리가 긴 강력한 화포, 남해의 지형을 활용한 뛰어난 전략과 전술이 승리의 배경이다.
- 척화론과 주화론이 대립했다. 척화론은 청에 맞서 끝까지 싸우자는 주장이었고, 주화론은 청과 외교관계를 맺어 충돌을 피하자는 주장이었다.

한눈에 보기

일본과의 전쟁, 임진왜란

1. ㉠ 도요토미 히데요시, ㉡ 국방력, ㉢ 정명가도, ㉣ 패배, ㉤ 조정, ㉥ 의주, ㉦ 이순신, ㉧ 명, ㉨ 일본, ㉩ 명량, ㉪ 7, ㉫ 에도, ㉬ 후금, ㉭ 광해군

[해설] 7년에 걸쳐 일어난 임진왜란에 대한 내용을 정리한다.

2. ㉠ 북인, ㉡ 서인, ㉢ 중립, ㉣ 인조

[해설] 광해군이 인조반정으로 왕위에서 물러나게 되는 과정을 정리한다.

청나라와의 전쟁, 병자호란

㉠ 서인, ㉡ 북인, ㉢ 친명배금, ㉣ 정묘호란, ㉤ 형제, ㉥ 병자호란, ㉦ 군신, ㉧ 남한산성, ㉨ 주화파, ㉩ 내정 간섭, ㉪ 효종, ㉫ 북벌

[해설] 두 번에 걸쳐 청나라와 사이에서 일어났던 전쟁에 대한 내용을 정리한다.

역사 논술

1. [예시 답] 먼저 국제 정세를 정확하게 파악하지 못한 잘못이 컸던 것 같다. 특히 왜란의 경우 일본 내 권력 구도나 상황을 잘 알지 못했기 때문에 일본의 전쟁 가능성을 잘못 예측했던 것이 큰 잘못이었다고 생각한다. 또한 두 번의 호란도 후금(청)의 진정한 적수가 조선이 아니라 명이었다는 사실을 알았다면 전쟁을 막을 수도 있지 않았을까 생각한다.

백성들의 피해가 극심했던 이유는 국방력이 너무 약했기 때문이라고 생각한다. 이순신 장군을 비롯한 몇몇 장수들에 의존해 전쟁을 치를 수는 없는 것이다. 국가의 책무는 백성들을 안전하게 보호하는 것인데, 조선은 평상시 너무 국방에 힘을 쏟지 않았기 때문에 피해가 컸다고 생각한다.

또한 조정의 태도에도 문제가 있다고 생각한다. 나라의 존폐가 갈리는 상황에서 명분과 의리를 중시하는 태도는 백성들의 생명을 보호하려는 의지나 태도를 엿볼 수 없다. 한 나라를 이끌어 가는 지도 세력이 무엇을 최우선으로 생각해야 하는지 알 수 있었다.

[해설] 역사 공부의 목적은 과거를 통해 현재를 이해하는 것이라고 했다. 양란을 통해 우리가 얻을 수 있는 교훈을 생각해 봄으로써 현재 우리가 처해 있는 상황과 연결지어 본다면 더할 나위 없는 기회가 될 것이다. 제시된 작은 물음들에 각각 답변하며 같은 잘못이 반복되지 않기 위해 어떤 노력이 필요할지 생각해 보도록 한다.

실력 키우기

01. [정답] ③

[해설] ① 문물이 정비되고 훈구파가 집권하던 때는 15세기이다. ② 일본에서는 전국시대가 끝나고 도요토미 히데요시가 일본을 통일했다. ④ 이이가 10만 군대 양병설을 주장한 것은 맞지만, 훈련도감은 임진왜란이 발발한 후에 설치되었다. ⑤ 에도 막부는 임진왜란이 끝난 후 들어섰다.

02. [정답] ⑤

[해설] 지도의 시기는 일본이 왜란을 일으킨 직후의 일로 일본과 명 사이에 휴전 협상이 시작되었다고 보기 어렵다.

03. [정답] ④

[해설] 왜란이 끝난 후 한동안 조선과 일본의 교류가 중단되었으나, 도쿠가와 막부의 지속적인 요청으로 다시 국교가 시작되었다.

04. [정답] ①

[해설] 지도에서 설명하는 사건은 병자호란이다. 광해군이 강홍립을 보내 중립 외교를 펼친 것은 이 사건 이전의 일이다.

05. [정답] ②

[해설] ㉠에서 언급하는 사건은 이괄의 난으로, 인조반정 이후에 일어난 사건이다. 이괄은 인조반정에서 세운 자신의 공이 제대로 평가받지 못하자 반란을 일으켰다.

06. [정답] ③

[해설] 〈보기1〉의 왕은 효종이다.

Chapter 16

책을 읽기 전에

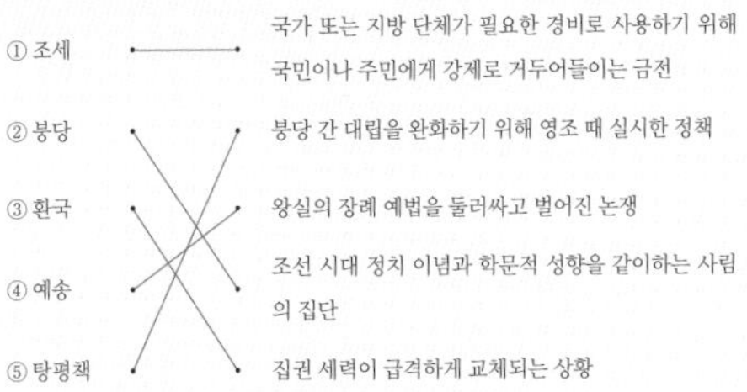

[해설] 본격적으로 책 읽기에 앞서 16장에서 만날 수 있을 뿐만 아니라 역사책을 읽으며 자주 읽게 되는 용어를 익힌다.

책을 읽으며

1. [예시 답] 생략

[해설] 소제목 단위로 나눠 읽으며 중요하다 싶은 내용에 밑줄을 쳐 본다. 읽은 후 문제로 나올 만한 내용을 찾는다는 느낌으로 중요한 내용을 생각해 본다.

2. [해설] 스스로 읽으며 밑줄 친 내용과 일치하는지, 어떤 내용이 질문으로 제시되었는지 생각하며 읽는다.

目 병조가 국방 업무를 총괄하지 못한 까닭은?: 조세 제도와 통치 체제의 정비

1) 조세, 공납, 역
2) 영정법
3) 대동법, 숙종
4) 균역법, 양반, 왕실
5) 의정부, 병조, 비변사
6) 여진족, 외교
7) 5위, 훈련도감

8) 삼수병, 후금, 5군영

9) 속오군, 전쟁

🅑 상복 입는 기간이 중요한 이유가 뭘까?: 예송과 붕당 정치의 변질

1) 서인, 남인

2) 예송, 상복

3) 서인, 성리학, 1년

4) 남인, 3년

5) 예송, 서인

6) 1, 남인

🅑 숙종은 왜 집권 붕당을 수시로 바꾸었을까?: 숙종의 환국 정치

1) 상평통보

2) 영토, 백두산 정계비

3) 경신환국, 노론, 소론

4) 기사환국, 남인

5) 서인, 갑술환국

6) 환국, 왕권

7) 노론, 소론

8) 경종, 영조

🅑 영조가 금주령을 내린 이유는?: 영조의 탕평 개혁

1) 노론

2) 붕당, 이조 전랑

3) 탕평책

4) 이인좌

5) 탕평비

6) 속대전, 균역법

7) 사도 세자, 뒤주

8) 민본, 인권, 신문고

9) 노비종모법, 청계천

🅑 수원 화성을 건설한 까닭이 뭘까?: 정조의 정치 개혁

1) 정조

2) 노론, 노론 벽파, 노론 시파

3) 탕평책, 능력, 징계

4) 규장각

5) 장용영, 노론

6) 북서, 서얼

7) 시전, 난전

8) 금난전권

9) 대전통편

10) 현릉원, 화성

11) 계획

12) 서민, 실학

🅑 강화도 나무꾼이 왕이 된 이유는?: 세도 정치의 성립과 전개

1) 순조

2) 수렴청정

3) 정조

4) 김조순, 안동 김씨

5) 세도, 풍양 조씨

6) 왕권, 관리

7) 비변사, 5군영

8) 관직, 세금, 농민

9) 풍양 조씨

10) 헌종

11) 철종

12) 대원군

3. [예시 답]

- 예송 논쟁: 현종 때 왕실의 의례인 상복을 입는 기간을 둘러싼 서인과 남인의 논쟁으로 붕당 간 대립과 갈등 심화

- 탕평책: 붕당 대립의 완화, 왕권 강화 목적, 붕당 폐단을 근본적으로 해결하지 못함. 왕과 왕의 신임을 받던 소수의 주변 세력에게 권력 집중
- 세도 정치: 탕평책에 따른 왕권 강화로 소수 세력에게 권력이 집중, 왕의 장인인 김조순이 권력 장악. 세도 가문의 권력 독점으로 정치 기강이 문란해지고 부정과 비리 만연

한눈에 보기

目 양란 후 조세 제도와 통치 제도의 정비

1. ㉠ 영정법, ㉡ 대동법, ㉢ 영조, ㉣ 비변사, ㉤ 5군영, ㉥ 속오군

[해설] 임진왜란과 병자호란 이후 혼란한 사회를 안정시키고자 시행된 제도들을 알아본다.

目 예송과 환국을 거치며 변질된 붕당 정치

1. ㉠ 서인, ㉡ 남인

[해설] 두 번에 걸쳐 예송 논쟁의 내용과 결과를 정리한다.

2. ㉠ 경신, ㉡ 기사, ㉢ 갑술, ㉣ 탕평

[해설] 세 차례 환국 관련 내용을 알아본다.

目 영조와 정조의 조선 정치 개혁

㉠ 탕평책, ㉡ 신문고, ㉢ 속대전, ㉣ 규장각, ㉤ 금난전권, ㉥ 화성

[해설] 영조와 정조의 업적을 분야별로 정리하며 기억한다.

目 나라를 뒤흔든 세도 정치

㉠ 정조, ㉡ 수렴청정, ㉢ 외척, ㉣ 봉기

[해설] 정조 이후 60여 년간 이어진 세도 정치의 내용을 간단히 정리한다.

역사 논술

1. [예시 답 1] 나는 숙종의 결정이 옳지 않았다고 생각해. 14세의 어린 나이에 즉위했고 이미 붕당으로 갈라진 신하들을 통솔하기가 쉽지는 않았을 거야. 하지만 세 번의 환국으로 서인과 남인을 갈라치기 했기 때문에 더더욱 붕당 정치가 빠르게 변질되었던 것 같아. 뒤늦게 탕평을 실시하려고 했지만, 그땐 이미 늦어서 효과가 없었잖아. 숙종이 국익을 위해 정치하도록 신하들을 독려했더라면 하는 아쉬움이 있어.

[예시 답 2] 환국만 놓고 보면 숙종의 행동에 무리가 있다고 보이겠지만 나는 숙종의 어쩔 수 없는 선택이었다고 생각해. 이미 왕권보다 커져 있는 신하들을 통제하려면 그들의 생사여탈권이 왕에게 있다는 것을 보여줄 수밖에 없었을 것 같아.

[해설] 드라마 소재로 자주 등장하는 숙종 때의 환국은 작가가 숙종을 어떤 인물로 그리느냐에 따라 완전히 다른 인물이 되곤 한다. 한 나라를 통솔하는 왕으로서의 숙종을 환국만으로 평가할 수는 없지만, 숙종 시기의 아슬아슬한 왕권과 신권 사이의 힘겨루기를 생각하면서 숙종이 주도한 환국에 대한 자신의 생각을 정리해 보도록 한다.

실력 키우기

01. [정답] ②

[해설] 양란 이후 군사 제도는 5위 체제에서 5군영 체제로 바뀌었다.

02. [정답] ③

[해설] 지도는 대동법의 시기별 적용 범위를 보여 주고 있다. ① 광해군 때는 경기도 지역에만 실시되었고 ② 토지 1결당 쌀 4두씩 징수한 것은 영정법(전세)에 대한 설명이다. ④ 함경도, 평안도는 지역 특성상 대동법이 적용되지 않았다. ⑤ 방납의 폐해 때문에 대동법이 도입된 것이므로 옳지 않다.

03. [정답] ㄱ, ㄷ, ㅅ

04. [정답] ②

[해설] 광해군 때의 집권세력은 북인이었다.

05. [정답] ③

[해설] 제시된 비석은 영조가 세운 탕평비이다. ① 서원을 모두 철폐했다는 설명은 옳지 않다. ② 영조는 금난전권을 시행했다. 금난전권을 폐지한 것은 정조이다. ④ 이인좌와 소론을 처벌하지 않았다. ⑤ 화폐를 유통하여 상업 발전을 이끈 왕은 숙종이다.

06. [정답] ②

[해설] 그림과 관련한 왕은 정조이다. 정조는 장용영이라는 친위 부대를 만들고 그 중 외영을 수원 화성에 설치하였다.

Chapter 17

책을 읽기 전에

* [예시 답] 생략

[해설] 본격적으로 책 읽기에 앞서 17장 도입부에서 제시하는 목표를 읽으며 사건들을 예측해 본다.

책을 읽으며

1. [예시 답] 생략

[해설] 소제목 단위로 나눠 읽으며 중요하다 싶은 내용에 밑줄을 쳐 본다. 읽은 후 문제로 나올 만한 내용을 찾는다는 느낌으로 중요한 내용을 생각해 본다.

2. [해설] 스스로 읽으며 밑줄 친 내용과 일치하는지, 어떤 내용이 질문으로 제시되었는지 생각하며 읽는다.

B 양반들이 상평통보를 사재기한 까닭은?: 상품 화폐 경제의 발전

1) 화폐, 물물교환
2) 상평통보
3) 파종법, 농사 기법
4) 모내기, 이앙법
5) 쌀, 보리, 이모작
6) 토지, 상품
7) 품팔이
8) 상업, 공인
9) 금난전권, 장시
10) 보부상, 사당패
11) 객주

12) 사상, 경강상인

13) 일본, 청

14) 관청, 관영, 세금, 민영

(日) 정부가 공명첩을 판 까닭은?: 양반의 몰락과 신분제의 동요

1) 신분, 붕당

2) 환국, 향반

3) 잔반, 머슴, 상민

4) 서얼, 잡과

5) 호적, 양반

6) 공명첩, 벼슬

7) 노비, 납속, 천민, 재정

8) 농민, 화전

9) 순조, 양인

(日) 최제우는 왜 동학을 창시했을까?: 삼정의 문란과 천주교 · 동학의 확산

1) 공납, 환곡

2) 삼정, 전세

3) 군포, 군역

4) 환곡, 이자

5) 암행어사

6) 천주교, 동학

7) 중국, 천주실의, 서학

8) 이승훈

9) 평등, 내세, 남인

10) 제사, 신해박해

11) 남인, 신유박해

12) 김대건

13) 이양선

14) 황해도, 통상, 프랑스

15) 제주, 남하

16) 동학

17) 최제우

18) 백성, 시천주

19) 최시형, 인내천

20) 흑세무민

21) 정감록

22) 미륵

(日) 모든 농민 반란이 실패한 이유는 무엇일까?: 홍경래의 난과 임술 농민 봉기

1) 농민, 저항

2) 홍경래의 난

3) 청, 10

4) 북서, 탐관오리

5) 신분, 항쟁

6) 진주

7) 임술

8) 삼정이정청

3. [예시 답]

(日) 홍경래의 난: 정주성, 평안도

[해설] 평안도의 몰락한 양반인 홍경래는 차별 철폐와 탐관오리 처벌을 주장하며 봉기해 정주성에서 농성을 했다.

(日) 임술 농민 봉기: 유계춘, 경상 우병사, 진주 농민 봉기

[해설] 경상 우병사의 수탈에 맞서 몰락한 양반 유계춘을 중심으로 일어난 진주 농민 봉기는 임술 농민 봉기의 대표적 사건이었다.

한눈에 보기

(日) 양란 후 조선 농촌과 도시의 변화

1. ㉠ 모내기, ㉡ 상품, ㉢ 도시, ㉣ 대동법, ㉤ 금

난전권, ㉥ 장시, ㉦ 상단, ㉧ 경강, ㉨ 개성, ㉩ 상품 화폐, ㉪ 민영, ㉫ 광산

[해설] 임진왜란과 병자호란 이후 농촌과 도시가 어떤 변화를 겪었는지 알아본다.

3 흔들리는 신분제도

1. ㉠ 서얼, ㉡ 호적, ㉢ 공명첩, ㉣ 노비, ㉤ 세금, ㉥ 공노비

[해설] 혼란스러운 사회 변화 속에서 신분제에 나타나는 변화를 알아본다.

4 백성을 괴롭히는 삼정, 위로하는 종교

1. ㉠ 전정, ㉡ 군정, ㉢ 환곡

[해설] 백성들이 부담한 3대 세금의 문란한 상황에 대해 알아본다.

2. ㉠ 천주교, ㉡ 평등, ㉢ 최제우, ㉤ 인내천

[해설] 조선 후기 새로 일어나 유행했던 종교와 사상에 대해 알아본다.

5 조선 후기 백성들의 봉기

1. ㉠ 평안도, ㉡ 홍경래, ㉢ 정주성

[해설] 봉기의 시작을 열었던 홍경래의 난을 정리해 본다.

2. ㉠ 진주, ㉡ 70, ㉢ 임술

[해설] 임술년을 중심으로 전국적으로 일어났던 농민 봉기에 대해 알아본다.

역사 논술

1. [예시 답] 계속되는 가뭄과 전염병으로 이미 백성들의 삶은 지칠 대로 지쳐 있다. 가뭄 때문에 사흘에 한 끼도 먹기 힘든데, 어찌 세금은 갈수록 오른단 말이오. 이제 막 태어난 아기와 돌아가신 아버님께도 군포를 매기기는 일쑤요, 빌리지도 않은 환곡을 갚으라 하니 어찌 사람이 살 수 있겠는가. 이런 형편에 풍족한 양반은 모두 세금을 면제받으니 양반은 조선의 백성이 아니란 말인가. 서학과 동학에서는 사람은 누구나 하늘과 같다 하여 모든 사람은 평등하게 대하거늘 우리 평안도 사람들은 벼슬길조차 끊어졌으니 이보다 더한 차별이 어디 있단 말인가. 이에 우리 ○○읍 백성은 우리의 억울한 사정을 조정에 직접 알리고 탐관오리들에 대한 엄정한 처벌과 조세에 대한 확실한 개선을 요구하는 바이다.

[해설] 19세기 전국 각지에서 일어난 농민 봉기를 생각하며 선언문을 써 보는 활동이다. 발문에서 제시한 내용들을 참고하여 농민들의 어려움과 모순된 현실을 담도록 지도한다.

실력 키우기

01. [정답] 1) 증가, 감소, 2) 공인, 3) 공명첩, 4) 이앙법, 증가, 5)신해박해

[해설] 생략

02. [정답] ③

[해설] 경강 상단은 한양을 중심으로 한 일대의 상권을 장악하기는 하였으나, 청과의 무역을 독점했다는 설명은 옳지 않다.

03. [정답] ②

[해설] ㄱ과 ㄷ은 미륵 신앙과 무속 신앙이 유행하면서 생긴 결과로 볼 수 있다.

04. [정답] ④, ⑤

[해설] ④ 임술 농민 봉기의 직접 계기가 된 것은 진주 농민 봉기이다. ⑤ 농민을 위한 개혁안을 제시하지 못했다.

Chapter 18

책을 읽기 전에

* [예시 답] 생략

[해설] 본격적으로 책 읽기에 앞서 18장을 구성하는 부분별 제목을 훑어보며 중요하다고 생각하는 단어나 어구에 표시하며 어떤 내용일지 생각해 본다.

책을 읽으며

1. [예시 답] 생략

[해설] 소제목 단위로 나눠 읽으며 중요하다 싶은 내용에 밑줄을 쳐 본다. 읽은 후 문제로 나올 만한 내용을 찾는다는 느낌으로 중요한 내용을 생각해 본다.

2. [해설] 스스로 읽으며 밑줄 친 내용과 일치하는지, 어떤 내용이 질문으로 제시되었는지 생각하며 읽는다.

(目) 일본은 왜 조선에 사절단 파견을 요청했을까?: 통신사와 연행사 파견

1) 상품 화폐, 서민
2) 통신사, 기유약조
3) 에도 막부, 쇼군
4) 인삼, 비단, 은, 무기
5) 한성, 1년
6) 연행사. 베이징

(目) 화성 건설 기간을 크게 단축시킬 수 있었던 비결은?: 서학의 전래와 과학 발전

1) 잡학
2) 천주교, 과학
3) 천문학, 시헌력
4) 성호사설, 북학파
5) 곤여만국전도
6) 거중기, 화성
7) 도르래
8) 훈련도감, 대포
9) 동의보감, 천연두
10) 체질
11) 모내기, 농업, 자급자족
12) 자산어보

(目) 실학 개혁이 성공하지 못한 까닭은?: 실학의 발전과 한계

1) 신분
2) 도덕, 성리학
3) 성리학, 실학
4) 이수광, 지봉유설
5) 토지, 중농학파
6) 균전제, 반계수록
7) 한전제, 성호사설
8) 여전제, 목민심서
9) 상공업, 중상학파, 중국
10) 경제, 청, 통상
11) 평등, 사농공상
12) 박지원, 열하일기
13) 문벌제도
14) 남인, 노론
15) 서얼

(目) 조선 전기에 발해를 연구하지 않은 까닭은?:

국학의 발달과 백과사전의 편찬

1) 국학
2) 중국
3) 사대주의, 고조선, 고려
4) 발해
5) 고구려
6) 대동여지도, 영토
7) 축척
8) 한글
9) 백과사전, 성호사설
10) 영조

탐 허생이 번 돈을 모두 버린 이유는?: 조선 후기의 문학과 예술

1) 풍류, 사회
2) 박지원, 한문
3) 허생전
4) 추사체
5) 풍경화, 진경산수화
6) 정선, 인왕제색도
7) 대나무, 나전칠기
8) 청화 백자
9) 불교, 사찰, 팔상전

3. 농업 중심의 개혁론을 주장한 실학자이며, 정권에서 밀려난 농촌에서 생활하던 남인이다.

한눈에 보기

탐 일본으로 가는 통신사, 청나라로 가는 연행사

1. ㉠에도 막부, ㉡ 12, ㉢ 조선, ㉣ 사대, ㉤ 정기적, ㉥ 서양, ㉦ 사무역
[해설] 양란 이후 일본, 청과 교류하며 오간 사절단에 대해 알아본다.

탐 조선 후기, 과학에 대한 생각의 변화

1. ㉠ 연행사, ㉡ 경제 발전
[해설]

탐 서학의 전래와 조선의 과학 발전

1. ㉠ 시헌력, ㉡ 중국, ㉢ 거중기, ㉣ 수원 화성
[해설] 분야별로 중국을 통해 들어온 서학과 관련된 조선의 과학 발전 내용을 알아본다.

2. ㉠ 한의학, ㉡ 종두법, ㉢ 모내기, ㉣ 해양 생물
[해설] 조선의 과학자들이 국내 문제와 직접 연관된 과학 분야의 연구 성과를 알아본다.

탐 개혁적인 유학의 등장, 실학

1. ㉠ 성리학, ㉡ 서양, ㉢ 이수광, ㉣ 중농학파, ㉤ 균전제, ㉥ 이익, ㉦ 여전제, ㉧상공업, ㉨ 박제가, ㉩ 박지원
[해설] 실학의 전래 배경부터 관련 학자와 연구 내용까지 정리한다.

2. ㉠ 남인, ㉡ 학문, ㉢ 중상학파, ㉣ 서얼
[해설] 농업, 상공업 등 분야별로 실학자들이 연구하고 주장한 개혁안이 실질적인 정책으로 반영되지 못한 까닭을 알아본다.

탐 국학(한국학)의 발달

1. ㉠ 발해고, ㉡ 택리지, ㉢ 신경준, ㉣ 동국문헌비고
[해설] 조선을 대상으로 하거나 조선과 직접적으로 관련된 분야의 연구 성과를 알아본다.

탐 조선 후기 양반들의 문화

1. ㉠ 박지원, ㉡ 추사체, ㉢ 진경산수화, ㉣ 정

선, ⓜ 청화 백자, ⓗ 목탑

[해설] 조선 후기 양반들이 향유했던 문화를 분야별로 알아본다.

역사 논술

1. [예시 답] 조선 초기에는 명이 세상의 중심이며 조선이 명의 뒤를 잇는다는 소중화 사상이 지배적이었고, 이때는 자국의 역사와 지리, 문화에 대한 탐구가 소홀할 수밖에 없었을 것이다. 하지만 호란 이후 청의 세력은 갈수록 커졌고 연행사를 통해 목격한 서양 문물과 발달한 청의 현실을 보며 세계에 대한 새로운 시각을 갖게 되었을 것이다. 더 나아가 중국 중심의 세계관에서 벗어나 우리의 뿌리, 국토, 언어 등에 대한 연구가 필요함을 느꼈을 것이다.
   [해설] 조선 초기 사상과 비교했을 때 어떤 이유로 자국에 대한 관심이 높아졌을지 생각해 본다.

2. [예시 답] 무엇보다 세계에 대한 새로운 시각을 갖게 됐다는 것이 주목할 만한 것 같아. 또한 그를 통해 나라를 부강하게 만들기 위한 방법도 모색하고 말이야. 이것은 후대에 서구 문물을 적극적으로 수용하려는 개화사상에 영향을 주었을 거야.
   [해설] 실학이 당시 사회를 변혁하는 데 성공하지는 못했지만 어떤 점에서 의미가 있을지, 그리고 이후 역사에 어떤 영향을 끼쳤을지 생각해 본다.

실력 키우기

01. ① 유득공 - 《발해고》, ② 안정복 - 《동사강목》, ③ 신경준 - 《훈민정음 운해》, ④ 이익 - 《성호사설》, ⑤ 유형원 - 《반계수록》
[해설] 생략

02. [정답] ②
[해설] 제시된 글은 박제가의 《북학의》 중 서문의 일부이다. 박제가는 청의 문물을 받아들여 상업을 활성화해야 한다고 주장했다.

03. [정답] ②
[해설] 《동국문헌비고》는 백과사전, 나머지는 역사서이다.

04. [정답] ③
[해설] 축척을 처음 사용한 지도는 〈동국지도〉이다

05. [정답] ⑤
[해설] ㉠에 들어갈 말은 통신사이다. ① 임진왜란이 끝난 후 조선은 일본과의 모든 교류를 끊었으나, ⑤에도 막부의 지속적인 요청으로 통신사를 보내기 시작했다. ② 조선에서만 통신사를 보내고 일본에서 보내는 사절단은 받지 않았다. ③과 ④는 중국에 보낸 연행단에 관한 설명이다.

06. [정답] ㄴ, ㄹ, ㅁ
[해설] ㄱ, ㄷ은 조선 초기 양반 문화에 대한 설명이다.

07. [정답] ②
[해설] 농업 중심 개혁파는 토지 제도를 개혁해야 한다고 주장했다.

Chapter 19

책을 읽기 전에

* [예시 답] 생략

[해설] 본격적으로 책 읽기에 앞서 19장 도입부에서 제시하는 목표를 읽으며 만나게 될 사건들을 미리 생각해 본다.

책을 읽으며

1. [예시 답] 생략

[해설] 소제목 단위로 나눠 읽으며 중요하다 싶은 내용에 밑줄을 쳐 본다. 읽은 후 문제로 나올 만한 내용을 찾는다는 느낌으로 중요한 내용을 생각해 본다.

2. [해설] 스스로 읽으며 밑줄 친 내용과 일치하는지, 어떤 내용이 질문으로 제시되었는지 생각하며 읽는다.

(B) 장남이 재산 대부분을 상속받는 이유는?: 가족 제도 및 풍속의 변화

1) 사당, 신분, 여성, 서얼

2) 처가, 친영제

3) 반친영제

4) 남녀, 재산, 장남

5) 제사

6) 양반, 부농

(B) 왜 민화에는 호랑이가 많이 등장할까?: 서민 문화의 발달

1) 서당, 문화, 서민

2) 판소리, 마당

3) 한글, 사회

4) 탈춤

5) 장시

6) 두레

7) 홍길동전, 서얼

8) 사설시조

9) 풍속화, 김홍도

10) 민화, 호랑이

11) 문자

3. [예시 답]

- 형식에 얽매이지 않고, 서민들의 소박한 감정을 표현하는 사설시조가 유행했다.
- 진경 산수화, 풍속화, 민화 등의 그림이 등장했다.
- 서민들의 소망과 양반 사회의 비판을 담은 한글 소설이 유행했다.

한눈에 보기

(B) 조선 후기 풍속의 변화

1. ㉠ 성리학, ㉡ 여성, ㉢ 장남, ㉣ 아들

[해설] 조선 후기 가족 제도, 재산 상속 등 생활 풍속의 변화를 알아본다.

(B) 서민 문화의 발달

1. ㉠ 글자, ㉡ 창작, ㉢ 주인

[해설] 서민 문화 발달의 밑바탕이 되는 서민 생활의 변화를 살펴본다.

2. ㉠ 홍길동전, ㉡ 사설시조, ㉢ 장시, ㉣ 김홍도, ㉤ 민화, ㉥ 다섯, ㉦ 한글 소설, ㉧ 비판, ㉨ 사랑

[해설] 분야별로 서민 문화의 특징과 대표작

등을 정리한다.

역사 논술

1. [예시 답] (1) 신부 집에서 올리되 신부가 시집살이를 하는 반친영 제도가 자리 잡았다. (2) 큰아들을 우대했고, 아들이 없으면 양자를 들였다. (3) 돈을 주고 양반 신분을 산 사람들이 나타났고, 몰락한 양반들도 생겨 이전처럼 존경받지 못했다.
   (4) 이젠 상민과 천민이 갓을 쓰고 도포를 입고 다녀 누가 양반이고 누가 상것인지 구분할 수가 없으니…… 쯧쯧. 하늘의 도가 땅에 떨어졌도다. (5) 여자로 태어나 사람 구실을 할 수 없고 평생 남자의 명만 받들며 살아야 하니 내 신세 참으로 처량하구나.
   [해설] 생략

실력 키우기

01. [정답] ⑤
   [해설] 중국을 통해 전래된 서양 과학과 서양 문물이 서민 문화 발달에 영향을 주었다고 보기 어렵다.

02. [정답] ⑤
   [해설] 생략

03. [정답] ⑤
   [해설] ㉠은 판소리, ㉡은 사설시조이다. ①은 탈춤에 대한 설명이고, ② 판소리가 이후에 한글 소설로 창작되었다. ③ 주로 평민이나 아녀자들이 창작하였고, ④ 기존보다 중장이 길어져 구체적이고 사실적으로 묘사한 것이 특징이다.

Chapter 20-1

책을 읽기 전에

* [예시 답] 생략
  [해설] 본격적으로 책 읽기에 앞서 20-1장 차례를 바탕으로 해당 시기에 살았던 사람들의 마음이나 생각을 짐작해 본다.

책을 읽으며

1. [예시 답] 생략
   [해설] 소제목 단위로 나눠 읽으며 중요하다 싶은 내용에 밑줄을 쳐 본다. 읽은 후 문제로 나올 만한 내용을 찾는다는 느낌으로 중요한 내용을 생각해 본다.

2. [해설] 스스로 읽으며 밑줄 친 내용과 일치하는지, 어떤 내용이 질문으로 제시되었는지 생각하며 읽는다.

강화도 조약은 왜 불평등 조약일까?: 흥선 대원군의 통치와 강화도 조약

1) 흥선 대원군, 비변사, 의정부
2) 서원
3) 호포제, 환곡
4) 경복궁, 당백전
5) 천주교, 병인박해, 강화도, 병인양요
6) 미국, 신미양요
7) 척화비
8) 고종

9) 개화, 일본
10) 강화도 조약, 근대적
11) 청
12) 치외법권
13) 개화파, 미국, 청

답 구식 병사들은 왜 반란을 일으킨 걸까?: 개화 정책의 추진과 임오군란

1) 일본, 통리기무아문
2) 별기군
3) 청, 보빙사
4) 위정척사, 성리학
5) 임오군란
6) 청, 중국

답 갑신정변은 왜 농민의 지지를 받지 못했을까?: 개화파의 분열과 갑신정변

1) 온건 개화파, 급진 개화파
2) 우정총국, 갑신정변
3) 청, 3일
4) 토지, 일본

답 농민의 자치를 실현한 조직의 이름이 뭘까?: 동학 농민 운동과 청일 전쟁

1) 경제적, 세금
2) 전봉준, 전주성
3) 청, 톈진 조약, 일본, 전주 화약
4) 집강소
5) 경복궁, 청일 전쟁
6) 2차, 서울
7) 우금치
8) 반봉건, 반외세, 항일 의병

답 양반과 천민의 신분 차별은 언제 철폐됐을까?: 갑오개혁과 을미개혁의 추진과 의의

1) 김홍집, 군국기무처, 갑오개혁
2) 중국, 왕실
3) 탁지아문, 은 본위
4) 과거, 신분제, 조혼, 연좌제
5) 박영효
6) 의정부, 홍범 14조, 고종
7) 사법부, 23부
8) 교육입국 조서
9) 러시아, 을미사변
10) 을미, 단발령
11) 양반, 을미의병
12) 고종, 아관 파천

답 영은문 자리에 독립문을 지은 까닭은?: 대한 제국의 탄생과 독립 협회의 활동

1) 이권, 미국, 프랑스
2) 일본
3) 광산
4) 서재필, 독립신문
5) 독립문
6) 경운궁, 대한 제국, 광무개혁
7) 만민 공동회, 민중
8) 관민 공동회, 헌의 6조, 자주적, 중추원
9) 공화정, 황국 협회
10) 구본신참
11) 지계
12) 통신, 산업, 학교

답 한일 병합 조약이 무효인 까닭은?: 대한 제국의 위기와 강제적 한일 병합

1) 러시아, 일본, 영국, 러일 전쟁
2) 중립, 경복궁, 한일 의정서
3) 제1차 한일 협약
4) 필리핀, 한반도

5) 러시아, 포츠머스

6) 경제적, 화폐, 빚, 국채 보상 운동

7) 이토 히로부미, 을사조약, 을사늑약

8) 외교권, 통감부

9) 저항, 황성신문, 시일야방성대곡

10) 무효, 헤이그, 특사, 순종

11) 정미 7조약, 차관

12) 한일 병합 조약

13) 이완용, 황제, 일제 강점기

(B) 항일 의병이 만주로 이동한 까닭은?: 항일 무장 투쟁과 애국 계몽 운동

1) 을미의병

2) 을사의병, 최익현, 신돌석

3) 정미의병

4) 13도 창의군

5) 만주, 연해주, 독립군

6) 자신회, 스티븐슨

7) 안중근, 하얼빈, 동양평화론

8) 애국 계몽 운동, 신민회

9) 독립 협회, 국권

10) 태극 서관, 안창호, 오산 학교

11) 만주, 신흥 강습소

12) 105인 사건

(B) 독도의 날이 10월 25일인 까닭은?: 일본의 독도 영유권 주장과 역사 왜곡

1) 독도

2) 한일 의정서, 울릉도

3) 칙열 제41호

4) 10, 25

5) 우산국

6) 신증동국여지승람, 동국지도

7) 유럽, 일본

8) 안용복

3. [해설] 강화도 조약이다. 조선의 인천, 부산, 원산의 3개항 개항, 치외법권 규정, 일본의 자유로운 해안 측량권 허용 등 최초의 근대적 조약이지만 불평등 조약이다.

한눈에 보기

– 한눈에 보는 흥선 대원군의 통치

1. ㉠ 비변사, ㉡ 서원, ㉢ 호포제, ㉣ 경복궁, ㉤ 척화비

[해설] 생략

2. ㉠ 양반 유생들, ㉡ 통상 수교

(B) 저물어가는 조선의 역사

1. ㉠ 운요호, ㉡ 강화도, ㉢ 불평등, ㉣ 일본인, ㉤ 임오군란, ㉥ 별기군, ㉦ 청, ㉧ 제물포, ㉨ 급진 개화파, ㉩ 3일, ㉪ 톈진 조약

[해설] 개항부터 갑신정변까지 개화 초기 10여 년 동안 겪은 주요 사건을 알아본다.

2. ㉠ 동학 농민 운동, ㉡ 청일, ㉢ 갑오, ㉣ 을미사변, ㉤ 신분, ㉥ 전봉준, ㉦ 전주성, ㉧ 전주 화약, ㉨ 경복궁, ㉩ 우금치, ㉪ 친러파, ㉫ 명성 왕후, ㉬ 단발령

[해설] 청나라와 일본까지 개입해 복잡해진 2년 동안의 역사를 정리한다.

3. ㉠ 아관 파천, ㉡ 독립 협회----〈가〉, ㉢ 러일 전쟁, ㉣ 을사늑약----〈나〉, ㉤ 한일 합병 조약----〈바〉, ㉥ 독립신문, ㉦ 외교권, ㉧ 러시아, ㉨ 만국 평화 회의, ㉩ 일제 강점기/대한 제국 선포----〈라〉, 헤이그 특사 파견----〈마〉

[해설] 해당 기간 일어난 사건 이름과 관련 내용에 대한 설명을 완성하며 정리한다.

B 병합 이전, 일제에 맞선 항일 투쟁

1. ㉠ 을미, ㉡ 을사, ㉢ 정미, ㉣ 만주

[해설] 개화 이후 나라를 위해 일어났던 의병 운동에 대해 알아본다.

2. ㉠ 대성, ㉡ 이승훈, ㉢ 신흥 강습소

[해설] 개화기 애국 계몽 운동을 대표했던 신민회의 활동에 대해 알아본다.

역사 논술

1. [예시 답] (1) 우산국(울릉도와 독도)을 정벌하였고, 우산국은 신라에 조공을 바침. (2) 울릉도와 독도가 조선의 영토로 표시되어 있음. (3) 울릉도와 독도가 우리 땅임을 주장했고, 일본 에도 막부는 "독도는 조선 땅이다."라는 사실을 문서로 인정함. (4) 독도는 이 라인 밖에 있었음.

* 재발 방지 촉구 예시 글: 생략

[해설] 일본 정부의 지속적인 역사 왜곡과 독도 영유권에 대한 주장을 구체적으로 반박하기 위해 본 책에 제시된 다양한 역사적 근거들을 정리하고 근거들을 바탕으로 대한민국 국민으로서 일본 정부에 대해 반성 등을 촉구하는 글을 쓰는 활동이다.

실력 키우기

01. [정답] ②

[해설] 흥선 대원군이 집권하던 시기는 오랜 세도 정치로 왕권이 약했다.

02. [정답] ③

[해설] 신식 군대를 만들어 신식 훈련을 시킨 것은 고종이다.

03. [정답] 임오군란 - 갑신정변 - 동학농민운동 - 갑오개혁 - 을미의병 - 아관파천 - 광무개혁 - 러일 전쟁

[해설] 임오군란(1882) - 갑신정변(1884) - 동학농민운동(1894) - 갑오개혁(1894) - 을미의병(1895) - 아관파천(1896) - 광무개혁(1897) - 러일 전쟁(1904)

04. [정답] ①

[해설] 독립 협회는 자주독립을 주장했으나 공화정을 목표로 삼지 않았다.

05. [정답] ③

[해설] 생략

06. [정답] ④

[해설] ㉠은 병인양요로, 프랑스 신부와 천주교도들을 탄압한 병인박해를 빌미로 프랑스 군함이 통상을 요구하며 벌어진 전쟁이다. 이때 강화도에 보관 중이던 외규장각 의궤가 프랑스 군대에 의해 탈취되었다. 조선의 양헌수 장군은 정족산성에서 프랑스 군함을 물리쳤다.

07. [정답] ⑤

[해설] 삼국간섭 - 청일 전쟁 이후 일본이 차지한 랴오둥반도에 대해 러시아, 영국, 프랑스 3개국이 개입하여 청에 돌려주게 한 사건. 거문도 사건 - 러시아의 남하 정책을 견제하기 위해 영국이 한반도 거문도에 영국

함대를 파견해 불법 정박한 사건. 아관파천 - 을미사변 이후 고종황제가 러시아 공사관으로 피신한 일.

08. [정답] ④

[해설] 지도에서 보여 주는 사건은 동학농민운동이다. ① 고부 군수 조병갑의 비리와 학정으로 시작된 것은 맞지만 이 사건의 결과로 볼 수는 없다. ② 동학농민운동으로 동학의 교세가 확산하였다고 볼 수는 없다. ③ 동학농민운동으로 조선에서 철수했던 청과 일본의 군대가 다시 들어오게 되었다. ⑤ 동학농민운동의 결과 청일 전쟁이 벌어졌고 청이 패함에 따라 일본의 내정간섭이 심해졌다.

09. [정답] (라) - (다) - (나) - (가)

[해설] 생략

10. [정답] ④

[해설] 보기에서 설명하는 개혁은 광무 개혁이다.

Chapter 20-2

책을 읽기 전에

* [예시 답] 생략

[해설] 본격적으로 책 읽기에 앞서 20-2장 도입부에서 제시하는 목표를 읽으며 일제 강점기를 보내던 대한민국 사람들의 마음을 생각해 본다.

책을 읽으며

1. [예시 답] 생략

[해설] 소제목 단위로 나눠 읽으며 중요하다 싶은 내용에 밑줄을 쳐 본다. 읽은 후 문제로 나올 만한 내용을 찾는다는 느낌으로 중요한 내용을 생각해 본다.

2. [해설] 스스로 읽으며 밑줄 친 내용과 일치하는지, 어떤 내용이 질문으로 제시되었는지 생각하며 읽는다.

본 일제는 왜 한국인의 교육 기회를 박탈했을까?: 무단 통치와 3 · 1 운동

1) 조선 총독부, 군인
2) 헌병 경찰
3) 민족 의식
4) 민족 자결주의, 독립 투쟁
5) 대한 독립 선언, 2 · 8 독립 선언
6) 33명, 대한 독립 만세
7) 유관순, 제암리
8) 독립, 항일 운동

본 왜 임시 정부는 상하이에 있었을까?: 대한민국 임시 정부의 수립

1) 상하이
2) 대한민국 임시 정부
3) 민주 공화제, 삼권 분립, 이승만
4) 연통제, 군자금
5) 교통국, 연락
6) 독립신문, 독립 공채
7) 외교전, 무장 투쟁, 이승만

본 광주 학생들은 어떤 구호를 외쳤을까?: 1920년대 국내 민족 운동

1) 무단, 문화, 친일파
2) 민족주의, 물산 장려 운동
3) 농촌 계몽
4) 사회주의, 6 · 10 만세
5) 신간회
6) 이상재
7) 식민
8) 광주 학생 항일
9) 항일 민족

답 일본이 간도 참변을 자행한 까닭은?: 1920년대 국외 무장 독립 투쟁

1) 무장 독립
2) 의열단, 신채호
3) 조선 총독부, 암살
4) 대한 독립군, 봉오동 전투
5) 김좌진, 홍범도, 청산리 전투
6) 간도 참변
7) 러시아, 자유시 참변

답 국민 학교란 단어가 일제 잔재인 까닭은?: 1930~1940년대의 국내외 민족 운동

1) 침략, 태평양 전쟁
2) 민족 말살
3) 황국 신민화
4) 황국 신민 서사, 국민 학교
5) 한인 애국단
6) 김구, 이봉창
7) 윤봉길

답 한국광복군이 국내 진공 작전을 계획한 까닭은?: 광복과 정부 수립을 위한 노력

1) 충칭
2) 한국광복군, 조선 의용대
3) 홍익인간, 민주 공화국
4) 태평양 전쟁, 연합군, 영국
5) 국제 회담
6) 카이로 회담, 독립
7) 포츠담 선언
8) 조선 건국 동맹
9) 일본 제국주의
10) 광복
11) 조선 건국 준비 위원회, 소련, 미국
12) 모스크바 3국 외상 회의, 신탁

답 남한에서만 총선거를 실시한 까닭은?: 대한민국 정부 수립

1) 미국, 국제 연합
2) 남북한 총선거, 남북 협상
3) 제주 4 · 3
4) 5 · 10 총선거, 제헌 국회
5) 대한민국, 헌법
6) 이승만

3. ㉢ 남북한 총선거 실시 결의 → ㉠ 제헌국회 구성 → ㉣ 대한민국 정부 수립 → ㉡ 조선 인민 민주주의 공화국 수립

한눈에 보기

답 일제 강점기, 일제의 식민 통치

1. ㉠ 조선 총독부, ㉡ 헌병 경찰
[해설] 생략

2. ㉠ 민족 자결 주의, ㉡ 도쿄, ㉢ 고종, ㉣ 독립 선언서, ㉤ 제암리
[해설] 일제 강점기가 시작되어 10년 가까이 흐를 무렵 일어났던 3 · 1운동에 배경이 되는 국외 상황과 운동 과정을 정리한다.

대한민국 임시 정부의 수립과 활동

1. ㉠ 3 · 1 운동, ㉡ 한성 정부, ㉢ 상하이, ㉣ 민주 공화제, ㉤ 이승만, ㉥ 독립신문, ㉦ 연통제, ㉧ 강대국

[해설] 3 · 1운동 이후 세워진 대한민국 임시 정부에 대해 수립 배경부터 활동 내용까지 알아본다.

일제의 문화 통치와 민족 운동

1. ㉠ 문화 통치, ㉡ 민족 분열 통치

[해설] 3 · 1 운동 이후 바뀐 통치 방식에 대해 알아본다.

2. ㉠ 물산 장려 운동, ㉡ 문맹 퇴치, ㉢ 6 · 10 만세 운동, ㉣ 순종, ㉤ 신간회, ㉥ 이념, ㉦ 이상재, ㉧ 광주 학생 항일 운동, ㉨ 신간회

[해설] 생략

3. ㉠ 의열단, ㉡ 김원봉, ㉢ 신채호, ㉣ 대한 독립군, ㉤ 홍범도, ㉥ 봉오동, ㉦ 북로 군정서, ㉧ 김좌진, ㉨ 청산리 전투, ㉩ 간도 참변, ㉪ 자유시 참변, ㉫ 소련

[해설] 1920년대 국외에서 일어난 무장 투쟁 단체와 관련된 사건에 대해 알아본다.

1930~1945년, 일제의 민족 말살 통치

1. ㉠ 민족 말살, ㉡ 신사, ㉢ 황국 신민 서사, ㉣ 일본식

[해설] 1920년대와 또 달라진 일제의 통치 방식에 대해 정리한다.

2. ㉠ 한인 애국단, ㉡ 이봉창, ㉢ 윤봉길, ㉣ 조선 의용대, ㉤ 윤봉길, ㉥ 한국광복군, ㉦ 연합군

[해설] 생략

광복부터 대한민국 건국까지

1. ㉠ 카이로, ㉡ 조선 건국 동맹, ㉢ 1945년, ㉣ 신탁 통치, ㉤ 총선거, ㉥ 남한만, ㉦ 남북 협상, ㉧ 제주 4 · 3, ㉨ 국회 의원

[해설] 우리나라 광복 전후 상황과 관련된 국내외 역사를 순서대로 알아본다.

2. ㉠ 국제 연합, ㉡ 제헌 국회, ㉢ 국회, ㉣ 1948년 8월

[해설] 5 · 10 총선거로 선출된 제헌 국회가 한 일부터 대한민국 정부 수립 선포까지 국회에서 있었던 일을 순서대로 정리한다.

역사 논술

1. [정답] 1) 강화도, 2) 갑오개혁, 3) 대한 제국, 4) 외교권, 5) 조선 총독부, 6) 서울에서 시작해 전국 각지에서 만세운동이 벌어졌다. 7) 대한민국 임시 정부, 8) 봉오동전투, 9) 일본이 제2차 세계 대전에서 패망하며 독립하였다. 10) 신탁통치, 11) 대한민국정부

실력 키우기

01. [정답] ④

[해설] 보기에 제시된 내용은 일본의 무단 통치에 관한 것이다.

02. [정답] ⑤

[해설] 광주학생 항일운동은 3 · 1운동 이후에 나타난 최대 규모의 항일 운동으로 1929년에 있었다.

03. [정답] ③

[해설] 임시 정부의 초대 대통령은 이승만, 국무총리는 이동휘였다.

04. [정답] ①

[해설] 보기에서 설명하는 단체는 신간회이다.

05. [정답] ①, ②

[해설] 생략

06. [정답] ④

[해설] 제주 4 · 3사건은 ㉠ (남한 단독 선거)에 반대하여 일어난 일이다. 소련과 북한에서 남북한 총선거에 반대하자, 유엔 소총회에서 선거가 가능한 남한에서라도 선거를 치르라고 한 것이 원인이 되었다.

Chapter 21

책을 읽기 전에

* [예시 답] 생략

[해설] 제시된 질문에 답하며 21장 내용을 예측해 본다.

책을 읽으며

1. [예시 답] 생략

[해설] 소제목 단위로 나눠 읽으며 중요하다 싶은 내용에 밑줄을 쳐 본다. 읽은 후 문제로 나올 만한 내용을 찾는다는 느낌으로 중요한 내용을 생각해 본다.

2. [해설] 스스로 읽으며 밑줄 친 내용과 일치하는지, 어떤 내용이 질문으로 제시되었는지 생각하며 읽는다.

目 1900년대 남자들이 술과 담배를 끊은 까닭은?: 개항 이후 외세의 경제 침탈 및 경제적 구국 운동

1) 조일 수호 조규, 치외 법권, 쌀, 관세

2) 외국, 10, 한성, 상권 수호

3) 방곡령, 배상금

4) 러시아, 만민 공동회

5) 일본, 개간권, 보안회

6) 국채 보상 운동, 대구, 애국 계몽

目 쌀 생산량이 늘어도 한국 농민이 몰락한 까닭은?: 일제 강점기 경제 수탈

1) 토지 조사, 세금

2) 소유자

3) 40, 동양 척식 주식회사

4) 소작농

5) 회사령

6) 산미 증식 계획

7) 연해주

8) 병참 기지화

9) 북부, 중화학

10) 총동원법

11) 학도병, 징용, 위안부

目 암태도 농민들이 추수를 거부한 까닭은?: 일제 강점기 경제 투쟁과 다양한 사회 운동

1) 문화, 신고제

2) 물산 장려 운동

3) 평양, 국산품

4) 사회주의, 사회 운동

5) 산미 증식 계획, 소작 쟁의

6) 암태도

7) 노동 쟁의, 원산 총파업

8) 형평 운동

9) 여성 운동

10) 소년 운동, 방정환

(답) '한강의 기적'이란 말은 무슨 뜻일까?: 경제 개발 계획과 대한민국 경제의 성장

1) 경공업, 미국

2) 삼백 산업, 중공업

3) 차관, 경제 개발 5개년 계획, 박정희

4) 노동력, 경공업, 경부 고속 국도

5) 자금

6) 수출, 베트남

7) 새마을 운동

8) 중화학, 수출 주도형

9) 석유 파동

10) 한강의 기적

11) 전두환, 중화학, 3저

12) 첨단화, 기술 집약적

13) 1만, 신자유주의, 경제 협력 개발 기구

14) 첨단 산업, 자동차

(답) 전태일은 왜 법전을 들고 분신했을까?: 경제 성장에 따른 사회 문제

1) 정부, 수출

2) 노동자, 수출 증대

3) 전태일, 노동 운동

4) 주택, 환경오염

5) 새마을 운동

6) 수입, 고령화

7) 외환 위기, 외환

8) 구조, 실업자

9) 자유 무역 협정, 농업

10) 빈익빈부익부, 복지

11) 청년 실업

(답) 〈아침이슬〉은 왜 금지곡이 되었을까?: 대중문화의 발달

1) 미국, 라디오

2) TV, 흑백

3) 영화, 문화

4) 유신독재

5) 금지곡

6) 경제, 프로, 서울 올림픽

7) 민주화, 수출, 한류

3. [해설]

(답) 경제 개발 5개년 계획: 1960년대 우리나라에서 시작한 5개년 단위의 경제 계획

(답) 삼백 산업: 1950년대 우리나라 산업에서 중심이 되었던 산업으로 흰색을 띠는 밀가루, 면화, 설탕을 지칭하는 말이다.

(답) 외환 위기: 1997년 우리나라는 재벌과 대기업들이 사업을 확장하면서 금융 기관으로부터 많은 돈을 빌리는 경영을 했다. 여기에 무역 적자가 커지고 환율까지 오르면서 외환을 결제하지 못하는 상황에 이르렀다.

(답) 빈익빈부익부: 계층 간 소득 격차가 심각한 상태로 부유한 사람은 더 부유해지고, 가난한 사람은 점점 더 가난해지는 현상

한눈에 보기

(답) 개항부터 대한민국까지, 경제사를 한눈에

1. ㉠ 자본주의 ㉡ 수교 ㉢ 상권 ㉣ 값싼 ㉤ 폭등 ㉥ 일본

[해설] 생략

2. ㉠ 방곡령 ㉡ 러시아 ㉢ 보안회 ㉣ 국채 보

상 운동

[해설] 생략

답 일제 강점기 경제 수탈

1. ㉠ 토지 조사 사업 ㉡ 동양 척식 ㉢ 회사령 ㉣ 산미 증식 계획 ㉤ 만주 ㉥ 병참 기지화 ㉦ 국가 총동원법

[해설] 생략

답 일제 강점기 경제 투쟁과 사회 운동

1. ㉠ 물산 장려 운동 ㉡ 암태도 ㉢ 형평 운동 ㉣ 어린이날 ㉤ 총파업

[해설] 1920년대 민족의 저항을 민족 운동가들의 투쟁과 사회주의에 영향을 받아 일어난 투쟁으로 구분해 알아본다.

답 광복 이후 대한민국 경제 성장의 역사

1. ㉠ 삼백 ㉡ 경제 개발 5개년 계획 ㉢ 전태일 ㉣ 중화학 ㉤ 3저 현상 ㉥ 1만 달러 ㉦ 외환 ㉧ 소득

[해설] 1950년대부터 2000년대에 이르는 동안 경제 성장 과정을 알아보고, 해당 기간 맞닥뜨린 문제, 앞으로 해결해야 할 문제를 알아본다.

답 대중문화 발달 역사

1. ㉠ 미국 ㉡ 라디오 ㉢ TV/텔레비전 ㉣ 침체기 ㉤ 프로 ㉥ 올림픽 ㉦ 한류

[해설] 생략

역사 논술

1. [예시 답] 세계에서 유례를 찾기 힘든 한강의 기적 이면에는 국민들의 피와 눈물과 땀이 있었기에 가능했었다. 정부, 기업, 국민 모두가 합심하여 이뤄낸 결과이기도 하지만 무엇보다 서민층의 동참과 희생이 가장 중요했다고 할 수 있다. 그들의 희생이 충분히 보상받고 치유되고 있는지 되돌아봐야 한다고 생각한다.

[해설] 제시된 자료를 통해 지금의 경제 성장에는 서민층 국민들의 노력과 희생이 있었다는 사실을 생각해 보도록 지도한다.

실력 키우기

01. [정답] 1) 형평 운동 2) 물산 장려 운동 3) 노동 쟁의

02. [정답] ③

[해설] 국채 보상 운동으로 금 모으기 운동을 했다는 설명은 옳지 않다.

03. [정답] ③

[해설] 1910년대 일본이 회사령을 내린 가장 큰 목적은 산업화를 이룬 일본이 값싼 원료 공급지이자 자신들의 생산품을 내다 팔 시장으로서 조선을 이용하기 위해서이다.

04. [정답] ⑤

[해설] ① 산미 증식 계획은 1920년대 정책이다. ② 품종 개량과 비료 공급에 의해쌀 생산량이 크게 증가하지도 않았다. 다만 일본으로 유출되는 쌀이 많아졌을 뿐이다. ③ 소작 쟁의가 발생한 것과, ④ 원산 총파업이

일어난 것도 1920년대이다.

05. [정답] ⑤

[해설] 의류, 신발 등 경공업이 발달했던 것은 1960년대이다.

06. [정답] ③

[해설] 생략

Chapter 22

책을 읽기 전에

* [예시 답] 생략

[해설] 22장을 구성하는 부분별 제목을 훑어보며 중요하다고 생각하는 단어나 어구에 표시하며 어떤 내용일지 생각해 본다.

책을 읽으며

1. [예시 답] 생략

[해설] 소제목 단위로 나눠 읽으며 중요하다 싶은 내용에 밑줄을 쳐 본다. 읽은 후 문제로 나올 만한 내용을 찾는다는 느낌으로 중요한 내용을 생각해 본다.

2. [해설] 스스로 읽으며 밑줄 친 내용과 일치하는지, 어떤 내용이 질문으로 제시되었는지 생각하며 읽는다.

(답) 왜 반민 특위는 제대로 활동하지 못했을까?: 이승만 정부의 독재 정치

1) 5 · 10 총선거, 제헌 국회, 대통령

2) 친일파, 반민족 행위 처벌법

3) 토지 개혁, 소작농, 농지 개혁법

4) 정부, 농민

5) 직선제, 발췌 개헌

6) 중임, 사사오입

7) 부정 선거, 혁명

(답) 4 · 19 혁명 이후 내각 책임제로 개헌한 까닭은?: 4 · 19 혁명과 5 · 16 군사 정변

1) 3 · 15 부정 선거, 김주열

2) 4 · 19 혁명

3) 계엄, 하야 성명

4) 시민 혁명, 민주주의 혁명

5) 과도 정부, 내각 책임제

6) 장면 내각, 제4차 개헌

7) 민주화

8) 군부

9) 반공

10) 국가 재건 회의

11) 대통령 중심제

(답) 베트남 전쟁에 왜 한국군이 파병된 걸까?: 박정희 정부의 독재와 국민의 저항

1) 자금, 한일 협정, 비상 계엄령

2) 베트남, 국군, 미국

3) 제6차 개헌, 독재 체제

4) 안보, 정부

5) 국회, 10월 유신

6) 유신 헌법

7) 국회 해산권, 법관

8) 유신 체제, 긴급 조치

9) 3 · 1 민주 구국 선언

(답) 1980년을 왜 서울의 봄이라고 할까?: 신군부와 5 · 18 민주화 운동

1) 김영삼, 부마 민주 항쟁, 비상계엄

2) 김재규, 10 · 26 사태

3) 최규하

4) 12 · 12 사태

5) 민주화

6) 비상계엄, 광주, 5 · 18 민주화 운동

7) 시민군

8) 언론, 독일

B▶ 국민은 왜 직선제 개헌을 원했을까?: 전두환 정부의 수립과 6월 민주 항쟁

1) 간접 선거, 3차

2) 언론 통폐합, 사전 검열

3) 삼청 교육대

4) 직선제

5) 6월 민주 항쟁

6) 6 · 29 민주화 선언

7) 9차, 노태우

B▶ 금융 실명제는 왜 실시했을까?: 1990년대 이후의 민주주의 발전

1) 북방외교, 유엔

2) 비자금, 문민정부

3) 역사 바로 세우기

4) 금융 실명제, 지방 자치제

5) 외환 위기

6) 김대중, 구조 조정, 금 모으기

7) 남북 정상 회담, 노벨 평화상

8) 노무현

9) 이명박

10) 탄핵, 문재인, 적폐 청산

3. [정답] 4 · 19 혁명(1960) → 부마 민주 항쟁(1979) → 5 · 18 민주화 운동(1980) → 6월 민주 항쟁(1987)

한눈에 보기

B▶ 대한민국, 개헌과 정치의 역사

1. ㉠ 반민족 행위 처벌법, ㉡ 농지 개혁법, ㉢ 발췌개헌, ㉣ 대통령 직선제, ㉤ 사사오입, ㉥ 4 · 19혁명, ㉦ 내각 책임제, ㉧ 장면 내각, ㉨ 5 · 16 군사 정변, ㉩ 박정희, ㉪ 국가 재건 회의, ㉫ 대통령, ㉬ 경제 개발 5개년, ㉭ 3선, ⓐ 10월 유신, ⓑ 유신, ⓒ 대통령 간선제, ⓓ 부마 민주, ⓔ 12 · 12 사태, ⓕ 5 · 18 민주화 운동, ⓖ 7년 단임, ⓗ 6월 민주 항쟁, ⓘ 대통령 직선제, ⓙ 유엔, ⓚ 국제 통화 기금, ⓛ 남북 정상 회담, ⓜ 남북 정상 회담

[해설] 해방 이후 60여 년의 정치사에서 큰 획을 그었던 개헌 내용과 개헌 관련 정부의 주요 정치적 사건을 정리하고, 흐름을 살펴본다.

역사 논술

1. 1) [예시 답] 민중이 주축이 되어 일어난 사건들이다. 비폭력 운동이다. 힘없는 민중들이 잘못된 사회제도 개혁을 바라고 일어난 사건이다.

2) [예시 답] 나는 우리 민주주의 정신의 뿌리는 '동학 농민 운동'이라고 생각한다. 유럽의 파리 시민 혁명은 부르주아 계층이 중심이 되고 제3계급이 가세한 시민 혁명이었지만, 동학 농민 운동은 그야말로 민초라고 할 수 있는 농민들이 주축이 되어 봉기한 사건이다. 외세에 의존하는 왕실과 신하들에게 각성을 요구하고 자주 독립, 부정부패 척결, 신분차별폐지를 외치며 일어난 동학

농민 운동의 정신의 현대 민주주의 정신에 틀림없다는 생각이 들기 때문이다.

[해설] 제시된 사건들 중 민주주의 정신의 뿌리라고 생각하는 사건이 무엇인지 생각해보는 활동이다. 정답은 없지만, 각 사건이 발생하게 된 배경과 과정을 떠올리며 민주주의의 의미에 대해 다시 생각해 본다.

2. [예시 답] 앞으로 우리 민주주의가 더 발전하기 위해 국민들이 정치에 더 많은 관심을 가져야 한다고 생각한다. 대한민국의 정치 발전은 경제 발전 못지 않게 세계적으로 유례를 찾기 힘들 정도로 짧은 시간 내에, 그리고 국민들의 힘으로 쟁취해 낸 결과이다. 그 모든 것들이 국민들의 정치에 대한 관심으로부터 시작되었다고 생각하기 때문이다.

실력 키우기

01. [정답] 1) 사사오입 2) 유신헌법 3) 12 · 12 사태 4) 6월 민주 항쟁

02. [정답] ④

03. [정답] ②

[해설] (가)에 들어갈 정부는 노태우 정부이다.

04. [정답] ④

[해설] 김영삼 신민당 총재를 국회에서 제명하자 부마 민주 항쟁이 일어났다. 이 사건은 박정희 대통령의 유신 체제에 반발하면서 일어난 것이므로 (다)시기에 해당한다.

Chapter 23

책을 읽기 전에

* [예시 답] 생략

[해설] 책 읽기에 앞서 제시된 질문을 통해 해당 단원에서 알아야 할 중심 내용을 예측해 본다.

책을 읽으며

1. [예시 답] 생략

[해설] 소제목 단위로 나눠 읽으며 중요하다 싶은 내용에 밑줄을 쳐 본다. 읽은 후 문제로 나올 만한 내용을 찾는다는 느낌으로 중요한 내용을 생각해 본다.

2. [해설] 스스로 읽으며 밑줄 친 내용과 일치하는지, 어떤 내용이 질문으로 제시되었는지 생각하며 읽는다.

Ⓑ 정전 협정문에 이승만 정부가 서명하지 않은 까닭은?: 남북 북단과 6 · 25 전쟁의 발발

1) 38도, 김구
2) 김일성
3) 애치슨 선언
4) 한반도, 남침
5) 서울, 부산
6) 유엔군
7) 인천 상륙 작전
8) 중국군
9) 정전 협상

Ⓑ 7 · 4 남북 공동 성명의 3대 통일 원칙은?: 남북 교류와 통일 노력

1) 분단국

2) 이산가족, 남북 적십자 회담
3) 7 · 4 남북 공동 성명
4) 자주, 평화, 민족 대단결
5) 주체사상
6) 남북단일팀
7) 국제 연합, 기본 합의서
8) 비핵화 공동 선언
9) 쌀, 비료, 통일
10) 햇볕 정책, 금강산, 개성 공단
11) 남북 정상 회담, 6 · 15 남북 공동 선언
12) 10 · 4 남북 공동 선언
13) 핵실험
14) 국방비, 동질성, 이산가족

3. [해설]
1) 노태우 정부 - 서울올림픽 개최, 대통령 직선제 실시
2) 김영삼 정부 - 남북한 동시 유엔 가입, 권위주의 청산
3) 김대중 정부 - 6 · 15 남북 공동 선언, 햇볕 정책. 1차 남북 정상 회담. 금강산 관광 등
4) 노무현 정부 - 2차 남북 정상 회담, 10 · 4 남북 공동 선언

한눈에 보기

광복부터 남북 분단까지

1. ㉠ 좌우 ㉡ 대한민국
[해설] 22장에서 읽은 내용을 떠올리며 다시 정리한다.

6 · 25 전쟁

1. 1) ㉠ 애치슨 ㉡ 한반도

2)

전쟁 과정		
① 북한군의 남침 (1950년 6월 25일)	③ 유엔 안전 보장 이사회, 유엔군 파견 결의 • 16개 나라, 병력 파견함.	④ 인천 상륙 작전 • 상륙 작전 성공하며 국군과 연합군, 서울 되찾음.
② 남, 낙동강 유역까지 후퇴 • 부산을 임시 수도로 정함.	⑤ 평양 점령, 압록강 유역까지 진격함.	⑥ 중국군 참전
⑨ 정전 협상 시작됨 • 2년 동안 협상 지속됨.	⑧ 지루한 소모전 계속됨.	⑦ 서울 빼앗겼다가 70여 일 만에 되찾음.
⑩ 정전 협정문 서명 • 유엔군 대표, 북한군, 중국군, 서명하며 전쟁 사실상 끝남. • 이승만 정부, 서명하지 않음.		

[해설] 생략

휴전 이후, 남한의 통일 노력 60년

1. ㉠ 7 · 4 남북 공동 성명, ㉡ 이산가족, ㉢ 국제 연합, ㉣ 3단계 통일 방안, ㉤ 햇볕 정책, ㉥ 남북 정상 회담, ㉦ 10 · 4 남북 공동 선언
[해설] 생략

역사 논술

1. [예시 답] 남북 관광 사업을 재개하면 좋을 것 같다. 세계 여러 나라는 다 가 볼 수 있는데, 가장 가까운 북한만 가 볼 수 없다는 것이 아이러니하다. 교과서에서 자주 듣던 장소를 직접 가 보고 그곳의 음식을 맛보는 것만으로도 남북 간의 거리감이 좁혀질 것 같다.

2. [예시 답] 남북 스포츠 교류 사업을 정기적으로 시행하는 것도 좋을 것 같다. 우리나라 전국 체전처럼 남북한의 운동선수들이 서로의 기량을 겨루는 장을 마련하고 이를 중계하는 것이다. 이를 통해 서로에 대한 친밀감도 높일 수 있고 선수들의 기량도 향상시킬 수 있을 것이다. / 연기 오디션 또는 아이돌 오디션을 북

한 측에서도 실시해보면 재미있을 것 같다. 남북이 서로 다른 기준의 예술을 지향하고 있지만 개개인의 취향과 호기심은 정권과 또 다를 수 있을 것 같다. / 북한과 학문적 교류를 정기적으로 여는 것도 필요하다. 특히 역사학은 지리적 한계 때문에 유물이나 유적을 찾아보는데 한계가 있어 남북한 간의 교류가 어느 분야보다 중요할 것 같다.

3. [예시 답] 이런 사업이 꾸준히 진행되기 위해서는 상대방에 대한 신뢰와 이해가 필수적이다. 특히 신뢰가 뒷받침되지 못하면 사업이 진행되더라도 보여 주기식이 될 것이고, 그런 사업은 국민의 지지와 호응을 얻지 못할 것이다. 또 분단된 채 70년을 넘게 살아왔기 때문에 서로 다른 가치관과 문화가 형성되어 있을 것이다. 서로에 대한 이해와 배려의 태도가 꼭 필요한 이유이다.

실력 키우기

01. [정답] ㄱ-ㅁ-ㄹ-ㄴ-ㄷ-ㅂ

02. [정답] ① 6.15 남북 공동 선언 - 김대중 정부, ② 7.4 남북 공동 성명 - 박정희 정부, ③ 남북 기본 합의서 - 노태우 정부, ④ 최초 남북 이산가족 상봉 - 전두환 정부

03. [정답] ⑤